MånPocket

D1293431

HERMAN LINDQVIST

Japaner
Japaner
Japaner

MånPocket

Denna MånPocket är utgiven enligt överenskommelse
med Norstedts Förlag AB, Stockholm

Tryckt i Norge hos
Aktietrykkeriet i Trondhjem 1993

ISBN 91-7642-762-5

Till Birgitta
– utan dig hade denna bok aldrig kommit till

INNEHÅLL

FÖRORD

– som det skulle skrivas om författaren var japan
och ni japanska läsare

Högt ärade läsare!

"Författaren" av dessa pinsamma rader är plågsamt medveten om sin egen oförmåga att skriva och om sin totala brist på kunskaper i de ämnen han behandlar.

Att han ändå tar sig friheten, ja fräckheten, att antasta er, högt värderade läsare, beror på att han tror sig veta att ni, högt uppsatte läsare, är så generös och tålmodig att ni ändå, trots "bokens" begränsningar, kanske kunde finna vissa meningar värda er uppmärksamhet.

"Författaren" är självklart medveten om att alla hans eventuella upptäckter och påståenden givetvis kan vara totalt felaktiga och säkert ofta förhåller sig på ett rakt motsatt sätt.

Ursäkta, ursäkta.

Tack för ert tålamod.

Trots det, med utomordentlig högaktning,

"Författaren"

1. Välkommen till världens fulaste huvudstad

Japan kan man närma sig på många sätt, men det vanligaste för en nutida europé är väl att man tidigt en morgon, efter en ibland dygnslång flygning, landar på Tokyos internationella flygplats, Narita.

Där står man i den fullpackade flygplansgången. Trettio plastmuggars "juice" skvalpar i kroppen, en och en halv timmes sömn kliar överallt, ögonen kanske är smala som springor, man är trött och omtumlad, men man är lyckligt framkommen och nu, vilken sekund som helst, ska dörrarna öppnas och man ska ta sitt första steg in i Soluppgångens Land, Nippon.

Det är klart, entrén är kanske inte lika dramatisk eller spännande som den var för de allra första européerna som närmade sig de krigiska japanska öarna för fyra hundra år sedan. Då hoppade vilt skrikande samurajer ut ur varenda bambudunge. Men för den som för första gången kommer till Japan är det ett stort äventyr i alla fall. Så nu, då dörrarna öppnas och du tar första steget, gör det med öppna sinnen och upptäckarlust!

Först verkar det inte så intressant, internationella flygplatser av kolossalformat är ganska lika över hela jorden. Undantaget för Narita är kanske att antalet japaner i lokalerna är avsevärt större än exempelvis i Frankfurt. Den som begår sin Japanpremiär har troligtvis förberett sig ordentligt. Man kan ha läst flera böcker, tidningar, broschyrer. Ofta har man en alldeles solklar föreställning om hur det ska vara. Det vet man

11

ju hur japanerna är. Aldrig ensamma. Små, välklädda. Och Japan, det har man ju sett på TV hur det ser ut! Det är miljoner människor som trängs på varandra, det är jordbävningar och tyfoner och miljökatastrofer och otrolig trafik. Folk går med munskydd på gatorna, luften är så dålig. Det vet man ju. Men duktiga är de, japanerna.

Så åker bussen iväg in mot Tokyo. Resenären observerar kanske skarorna av samurajliknande polisstyrkor med långa lansar och sköldar. De står som tennsoldater vid infarten till flygplatsen. De finns i vakttorn runt hela området. De sitter i pansarbussar vid bivägarna. Vilken sekund som helst kan de rusa fram och krossa fienden.

De här polisstyrkorna har stått där sen början av 70-talet. Då började striden om marken för flygfältet. I dag är Narita i full trafik, men kampen är inte slut. Små markområden är fortfarande i motståndarnas händer och fortfarande gör oppositionen sina attacker, men försvarsberedskapen är hög.

Turisten börjar nu titta efter 15-miljonerstaden Tokyo. Han letar efter de enorma fabriksområdena, skorstenarna, motorvägarna.

Han ser gröna pinjeskogar, risfält, bambudungar, små trevliga lantgårdar med karakteristiska svängda tak. Inget trafikkaos. Inga skorstenar. Ingen miljonstad.

Detta pågår i tio minuter. Tjugo minuter, en halvtimme. Bussen glider jämnt och fint framåt, sätena är ytterst bekväma, de går att reglera som flygplansfåtöljer. Resenären lutar sig tillbaka. Han har fått veta att det är bara ca en timme kvar till terminalen. Han börjar tro att han blivit lurad. Det står nog fel i tidningarna. Japan är ju riktigt vackert. Tokyoområdet är ju riktigt mysigt.

Men just då, när bussen varit på väg en halvtimme, förändras allting. Plötsligt är du i TOKYO. Ibland ser du ingenting. Kilometer efter kilometer är motorvägen kantad av ett högt ogenomskinligt stålstaket. Det är som att åka genom en tunnel utan tak. På andra sidan finns bostadsområden som staketet skyddar mot trafikbuller. Ibland skymtar det fram, TOKYO, hela horisonten fylld av ett gråblått myller av låga små hus, fabriker, bostadshus, fabriker, skorstenar. Men ingen rök.

Du är nu inne i det område som tillsammans med Tokyo bildar en region med ca 15 miljoner invånare, hopträngda på en yta motsvarande Stor-Stockholm. Det är klart att det blir trångt ibland.

Är det nu en regnig dag, statsbesök eller allmän demonstrationsdag kommer du att få en ytterst konkret förevisning av Tokyotrafiken. Bussen stannar.

Efter en stund upptäcker du att det står några kilometer bilar framför dig på motorvägen och minst lika många bakom. Djupt under den upphöjda expressvägen, 15–20 meter under dig löper andra motorvägar kors och tvärs, alla fullpackade med stillastående fordon, eller nästan stillastående. Långsamt, långsamt glider ni framåt.

Ingen tutar. Ingen försöker tränga sig före, eller ta den smala filen vid sidan om. Den japanske bilföraren saknar romarens och parisarens snabba och fantasifulla improvisationskonst, den som gör att det i stället för två långa filer plötsligt finns nio krockade bilar i bredd längst fram och en stor anhopning av bilar tätt bakom. Den japanske bilföraren är mer filosofisk, kanske han bara är disciplinerad. Han väntar. Tålmodigt.

Så småningom kommer ju ändå alla fram. Också du,

käre turist, som nu kanske varit på väg i 26 timmar sen du lämnade hemmets trygga vrå på andra sidan jorden. Nu är du i alla fall framme. Tror du. Detta är terminalen. Härifrån är det nu bara 30–45 minuters taxiresa till de vanligaste hotellen. Vad är dina strapatser på 30–40 timmar i jämförelse med de 12–18 månader det kunde ta för våra förfäder, de första svenskarna som seglade till Japan på 1700-talet.

Men NU är du framme. Välkommen!

Du kanske bor på ett av de nyare och finare hotellen med vacker utsikt. Du ser nu det som är Tokyo.

Om du är kommunalpolitiker, kanske sysselsatt med stadsplanering, är det troligt att du tar dig mot hjärtat, i alla fall om huvudet. Den japanska statens skönhetsråd, om det nu finns något sådant, måste vara långtidstjänstledigt. Något mer ohyggligt fult än Tokyo är det svårt att tänka sig.

Det är ett fullständigt kaotiskt myller och gytter av totalt omaka hus och konstruktioner. Upp ur gyttret kan det skjuta torn och tinnar från något som ser ut som ett medeltida slott, men det är moderna bordeller – "Love Hotels". Hotell för dem som plötsligt måste låsa in sig en timme eller två. Bredvid kan det finnas skyskrapor och mellan två av de högsta kan det stå ett litet tvåvåningsskjul, så nya skyskrapor och enstaka höghus som är byggda bakom och runt över små trähus. Där har ägarna vägrat att flytta på sig. Kvarteret var en gång bebyggt med ett myller av småhus, tomterna köptes upp av ett stort företag, men en eller två husägare vägrade att sälja sina ruckel – därför byggde man höghuset runt omkring och ovanför trähuset.

Mellan höghus och småhus kan plötsligt stå en fem meter hög staty, uppenbarligen en naken man som vri-

14

der sig i svåra magplågor. Detta är ett "konstverk", donerat av någon firma för kvarterets försköning. Tvärsigenom hela området kan på ca 20 meters höjd gå en av dessa upphöjda expressvägar, som ibland kallas världens dyraste parkeringsplatser. Hade du otur på vägen in från Narita känner du redan väl till dem.

Där kan ligga en trehundra år gammal liten restaurang med egen trädgård, vårdad med kärlek och skicklighet i generationer, tätt intill kan det stå ett visserligen sex våningar högt men bara två meter brett hus som dessutom är skärt.

Mellan husen ringlar smala gränder, sällan så breda att två bilar kan köra i bredd. Kors och tvärs genom alltihop går sedan mångfiliga breda gator. Längs alla har el- och telefonledningarna dragits på stolpar, ungefär som i en by på landet. Men detta är alltså elektriciteten för människorna i världens största stad, där är miltals av el- och telefontrådar som hänger som tjocka garnnystan längs gator och gränder. Trästolpar som ruttnar ersätts med cementstolpar så dessa spindelnät av trådar ska tydligen förbli hängande i luften i Tokyo.

Det finns ingen enhetlighet, ingen överbryggande kontroll som försöker skapa harmoni och skönhet.

Nu kanske du ser folk med munskydd, precis som du läst i bladen, men då ska du veta att munskydden inte är för den dåliga luftens skull. Munskydd bär den som är förkyld och inte vill smitta andra.

Om du tittar noga kan du se vittvätt hänga på taken. Vi bor mitt i Tokyo och vi hänger alltid vår vittvätt på taket av vårt åttavåningshus. Där blåser den torr och fin och inte blir den smutsigare än om den hängt ute vid torpet i Bergslagen.

Så ryktet om Tokyos dåliga luft är betydligt överdrivet. Visst var det sant för tio år sedan, men nu har japanerna världens hårdaste luftreningslagar, bilarna är bättre luftrenade än någon annanstans i världen och resultatet kan du själv se och uppleva. Tokyo har, vågar jag helt ovetenskapligt och obevisat påstå, renare luft än Stockholm. Åtminstone världens mest osynliga avgaser.

Då du står där och tittar ut över detta myller kan det vara roligt att veta att i Tokyo finns det ca 300 000 registrerade matställen, det finns 100 universitet och högskolor, världens största polisstyrka, minst fem symfoniorkestrar, fem hundra biografer, minst tre operahus, tre gånger fler taxibilar än i New York. Allting i världen som finns att köpa, göra och beskåda, det finns också i Tokyo, ofta i flera versioner.

Mitt i denna kolossala storstadsdjungel finns tusen små öar och oaser, stilla och fridfulla. På nätterna går brandvakter i gränderna som de gjort sen medeltiden. De slår sina träklossar mot varandra och signalerar att "Allt är väl". Där finns några av de bästa franska restaurangerna i världen, utanför Paris, där finns hundratals hamburgerställen, exakta kopior av de amerikanska, men där kommer också mannen med dragkärran som säljer grillad sötpotatis, han kan passera ölhallar, med inredning och menyer precis som hemma i Bayern, fast med hundra procent japaner vid ölkrusen. Där finns 150-åriga japanska restauranger för rå fisk, sushi, och ställen som säljer kokta nudlar som man äter stående och sörplande bredvid restauranger dit bara direktörerna för de största japanska företagen kan gå, de som skriver på notor för 2 000–3 000 kronorsluncher per person.

Visst kan det vara så att en park i Tokyo en lördag

eftermiddag och en söndag nästan kan se ut som köerna vid systemet dagen före midsommar. Det är packat med folk och man ser knappast någon grönska, men om man går till samma park en måndag förmiddag kanske man är ensam. För visst *finns* det parker i Tokyo, några av dem är lika stora som hela Djurgården i Stockholm, men eftersom befolkningen är så stor blir det bara ca 1 m² grönområde per tokyobo, enligt officiell statistik. Stockholmaren har 125 hektar grönområde per invånare!

Tokyo är alltså, i ordets bokstavliga mening, en kontrasternas stad, men så består regionen inte bara av *en* stad utan av 23 områden, alla med egen borgmästare och eget stadsfullmäktige. Turisten eller affärsmannen som kommer till Tokyo rör sig oftast i stadsdelarna Minato (Hamnen), Chuo (Centrum), Shinjuku (Nya poststaden), Shibuya (Förädlingens dal) och Chiyoda (Tusen generationers risfält).

De största företagens kontor och de viktigaste ministerierna ligger i Chiyoda – de tusen generationernas risfält finns alltså inte kvar. Huvuddelen av nöjeslivet ligger i Shinjuku, med mer turistpräglade ställen i Ginza. De flesta ambassader ligger i Minato.

Plötsligt kan turisten få syn på något som ser ut som Eiffeltornet skjuta upp vid horisonten. Det är Tokyotornet som byggdes 1958 och är några tiotal meter högre än originalet i Paris.

Ännu för tjugo år sedan var det förbjudet med hus högre än tio våningar. Från början berodde förbudet på att ingen fick bo högre än kejsaren. Ingen skulle få se ner på det kejserliga palatset. Därför byggdes de första höghusen nära palatset så att de hade kortsidan mot kejsaren och fönstren som vette åt det hållet var ogenomskinliga.

Sen berodde förbudet på risken för ras vid jordbävningar. Men med bättre teknik och naturligtvis inte minst på grund av de allt högre markpriserna har husen skjutit i höjden så mycket att de högsta skraporna i Shinjuku i dag är över 50 våningar höga.

Arkitekterna svär att byggnaderna är jordbävningssäkra. Det återstår att se, kraxar olyckskorparna.

2. Ursäkta min fula frus otäcka mat

I Japan kan man göra allting, utom möjligen bli hembjuden till en japan. Men skulle nu detta inträffa att du skulle få besöka en vanlig japansk familj ute i en förort, ska du veta att det är ungefär lika ofta förekommande som att en japansk turist i Kaknästornet samtidigt ser midnattssolen och en skara isbjörnar passera över Sergels torg. Det händer alltså praktiskt taget aldrig.

Vi leker nu att du verkligen hittat till huset långt borta i förorten, troligtvis ligger det 1–1 1/2 timmes tågresa med flera byten från ditt hotell. Eftersom du är svensk stryker du nu omkring i grannskapet tills klockan blir exakt vad den ska vara för din entré. Herr och fru Suzuki (lika vanligt som Andersson) bor troligtvis i ett tvåvånings trähus. Det hela verkar lika stabilt som ett svenskt skjul eller en svensk kolonistuga. Huset är sannolikt omålat, någon trädgård finns det antagligen inte, snarare några bambustrån och en bil inklämd framför huset. I Japan är det nämligen så att ingen får tillstånd att registrera sin bil, förrän han kan bevisa för polisen att det finns en parkeringsplats.

Eftersom det är första gången du är bortbjuden i Tokyo har du en japansk vän med dig. Du gör som han. Han har inte blommor med sig. Det har aldrig en japan, i stället har han ett litet paket med godis eller småkakor, elegant inslaget.

Det kan nu råka vara snöstorm eller störtskurar av

regn. Vännen tar av sig ytterkläderna innan han ringer på dörren.

I Japan vill man inte ta med sig gatans smuts in, dessutom är det artigare att anlända klädd i den formellt riktiga klädsel man ska ha på tillställningen och till den klädseln hör inte en skrynklig ytterrock.

Entré. Bugningarna börjar.

Vännen kanske träffar värdparet för första gången. Bägge bugar nu från midjan. Samtidigt, hokus-pokus, har de dragit fram sina visitkort och samtidigt som de bugar för varandra ser de i ett enda ögonkast exakt vad den andre har för rang och var han är anställd.

Då vet bägge exakt hur mycket och länge och djupt de ska buga. Visitkortet är därför japanens viktigaste klädesplagg, han är nämligen totalt naken utan det. En japan utan visitkort har ingen identitet, han kunde lika gärna vara osynlig.

Du som utlänning rycks med i bugningarna, samtidigt som du antagligen sträcker fram handen. Jag har sett utländska militärer i uniform som samtidigt bugar, sträcker fram handen och gör honnör. Det ser konstigt ut. Men utlänningar är konstiga. Det vet varje japan, så han förlåter dig.

Alla japaner bugar, mest bugar hissflickorna på de finaste varuhusen. Enligt officiell statistik sker detta 2 560 gånger per dag. De bugar nämligen varje gång de öppnar hissdörrarna och kunderna kommer in och varje gång de går ut. Japansk tvåa i bugning är konduktörerna på statsjärnvägarna, de bugar i snitt 2 132 gånger varje dag, nämligen varje gång de tar emot en biljett och varje gång de ger tillbaka den.

Djupast bugar kvinnorna, alltid djupare än männen. Två kvinnor som möts bugar enligt ålder och makens position. Person av lägre grad och yngre ålder bugar djupast.

Man bugar tre gånger, första gången djupast, andra gången en aning mindre osv. Man bugar från midjan, nacken ska vara sträckt och blicken riktad mot marken. Det anses oartigt att bliga uppåt och försöka kolla hur djupt den andra bugar, det ska man se i ögonvrån.

Bugningen har samma historia som vårt handslag. Vi ville visa att vi kom obeväpnade – med öppen hand. Japanen sträcker fram nacken, han tittar inte ens upp. Se här, var så god, jag underkastar mig – mitt liv ligger i dina händer. Så gjorde samurajerna. Antingen blottade de nacken på detta sätt – eller också högg de till!

Allra djupast bugar den lojala och trogna hustrun för sin herre och man. Ska hon göra det riktigt formellt ligger hon på knä då han anländer, hennes armar är sträckta framför henne så att tre av fingrarna på varje hand nuddar vid golvet. Så bör även ett barn hälsa sina föräldrar, menar en gammaldags japan.

Vi leker nu att vi bugande har lyckats ta oss in hos Suzukis. Här tar vi av oss skorna. Tofflor finns framställda.

Då en japan går in hos en annan japan ropar han inträngande: "Ursäkta, förlåt, att jag tränger mig på!" Värden svarar: *"O-hairi-kudusai!"* vilket ordagrant betyder: "Högt ärade, stig upp! Jag ber om detta underdånigast!"

Om du nu inte stiger upp står du på näsan. För ett riktigt japanskt hem har golvytan en bit ovanför tamburgolvets nivå, detta för att markera att du lämnat marksmutsen och inträder i någons bostad.

Nu överräcker din japanske medgäst sin present och mumlar något om att "Denna smaklösa kaka är en dålig gest av tacksamhet för att jag och min fula hustru och mina dumma barn fått komma hit".

Han har inte blivit tokig. Han uttrycker bara den korrekta japanska anspråkslösheten, det gäller att alltid verka ytterst blygsam.

Värden låter paketet försvinna in i huset, det öppnas aldrig i gästernas åsyn. Är paketet från en mycket respekterad eller kär gäst kanske han lägger det framför familjealtaret, som finns i nästan alla hem.

Nu sätter vi oss. På golvet. De flesta japanska hem har bara två rum, golven är troligtvis klädda med sävmattor, *tatami*. I så fall lämnade alla gästerna sina tofflor vid tröskeln och gick in i strumplästen.

Mellan de bägge rummen finns det antagligen skjutdörrar klädda med ett slags segt papper. I varje traditionellt hem finns också en alkov, där inne hänger en väggmålning som byts med årstiderna. Vid sidan av alkoven finns en träpelare, stammen av ett måhända vackert, men lika ofta kanske ett groteskt fult träd. I moderna hem har alkoven långsamt fyllts med TV, video, stereo och vår tids andra uppfinningar.

Många medelklasshem har också ett av rummen inrett i västerländsk stil, dvs. man har soffa och fåtöljer. Men husets invånare sitter lika gärna på golvet. Soffans framsida får bli ryggstöd.

Som otränad svensk börjar du nu redan bli lite stel i benen, du kanske redan har nackspärr. Det hela är obekvämt för den som inte är van.

Den japanske värden frågar aldrig: "Vad vill ni dricka?" Han skulle inte få något svar. Tänk om hans japanska gäster beställde något som inte fanns i huset! Så fruktansvärt pinsamt! Så värdinnan glider nu ljudlöst in med muggar fyllda med rykande hett te.

Glad och stolt svensk värd utbrister ofta då gästerna kommit: "Vill ni se hur vi har det?" Och det händer lika ofta att svenska gäster självmant börjar vandra omkring i rummen, inspekterande vad som finns.

Detta händer *aldrig* i Japan, dels finns det antagligen inte mer att se än vad du kan se där du sitter och dels skulle en japan aldrig drömma om att tränga sig på och kräva ytterligare inspektion.

Nu kanske värden utbrister: "Ursäkta min fula hustru... och inte kan hon laga mat heller... vi har ingenting att bjuda på!" Den kanske enormt docksöta hustrun fnissar bekräftande... ingenting har man... varpå hon dukar upp ett otroligt bord, konstnärligt arrangerade rätter och fat, en måltid som antagligen tagit flera dagar att förbereda och som kanske kostat en månadslön.

Värden slår ut med händerna igen och säger: "Detta går nog antagligen inte att äta, men försök i alla fall!"

Så där håller de på en stund. Det låter kanske konstigt, men det är inte annorlunda än vad man brukar säga och göra i stugorna på landet i Skandinavien också. Där kan husmor ha kokat i flera dagar men påstår ändå alldeles bestämt att det "är så lite så". Fast det är klart, svensk husbonde skulle knappast be om ursäkt för sin fula fru.

Frun ja, vart tog hon vägen? Den japanska frun är antagligen försvunnen under hela festen, hon håller sig i bakgrunden, serverar och försvinner.

Men så gjorde man också i min barndoms stugor på landet.

Ett vanligt japanskt hem för två vuxna och högst två barn är sällan större än 50 m². Förutom de båda rum du redan sett finns det badrum och kök. Badrummet har ett badkar, ofta av trä och obetydligt större än en gammaldags hög TV; spisen i köket har högst tre gaslågor, en liten diskho och i bästa fall ett litet skåp. Där är trångt och obekvämt. Toaletten, som ligger bredvid köket, är oftast bara ett hål i golvet. För de flesta japaner är det nämligen en ytterst motbjudande tanke att sätta sina intima kroppsdelar mot något där andra redan satt sina, de föredrar att sitta på huk.

Trävirket inne i huset kan vara vackert polerat, men ytterväggarna är antagligen omålade. Alla väggar är tunna, det drar över golvet.

Du kanske undrar var folk sover, det finns ju inget sovrum. Svaret är att du just nu sitter i sovrummet och äter middag. På kvällen flyttar man undan det låga bordet, travar sittkuddarna i en hög, öppnar en av skjutdörrarna på kortsidan och rullar ut de madrasser som ligger där. Så sover de flesta japaner, på madrasser på golvet. På morgonen rullas allt ihop igen och sovrum blir vardagsrum.

Ett gammaldags välskött traditionellt japanskt hus är vackert till formen, linjerna utstrålar harmoni och skönhet, allt strävar till enkelhet. Så ser det ut på bilder i alla fall.

Men för dem som bor där året runt är det inte så festligt. Ett japanskt hus är nämligen otroligt svårt att värma på vintern och omöjligt att få svalt på sommaren. Om olyckan är framme brinner det upp i ett nafs, det blåser omkull i tyfoner. Ingenstans i hemmet kan man dra sig tillbaka för lugn och ro. Insekter kommer lätt in och trivs bra under tatamimattorna. Köket är opraktiskt och skulle inte ens godkännas av en svensk semesterhusmor på sommartorpet.

Eftersom det är omöjligt att värma detta bräd- och

pappersskjul på vintern, värmer man dess invånare i stället. Alla dricker hett te hela tiden. Alla är väl påklädda. Under bordet har man en värmekälla: under bordsskivan ligger en filt. Husets invånare sticker in fötterna under bordet, drar upp filten i famnen. Det är mysigt och skapar gemenskap – men ryggen och nacken blir blåfrusna.

Hur står nu japanerna ut med detta? Svaret är: De är så illa tvungna, för tomtpriserna är groteskt höga. En liten lägenhet inne i Tokyo kan kosta flera miljoner kronor att köpa och en hel månadslön att hyra. Alltså tvingas de flesta bo långt från centrum, och bra lägenheter beskrivs som liggande "bara tio minuter från tunnelbanestationen" – att det sedan är en timmes resa in till stan tar man som något nödvändigt ont.

Detta har pågått så länge att de flesta japaner, som ju aldrig varit utomlands, heller aldrig bekantat sig med vad vi menar med ordentlig bostadsstandard. Många bor i företagens små och billiga lägenheter, många delar lägenhet med föräldrar eller andra släktingar. Eftersom Japan är ett land lika stort som Norge och med nästan lika mycket berg men med 120 miljoner invånare, finns det ingenting som säger att tomtpriserna skulle bli lägre i framtiden.

Japanerna, som i dag har högre standard i övrigt, högre löner och bättre utbildning än de flesta européer, bor sämre än folket på det inre av Balkan.

Festen fortsätter hos Suzuki. Ni dricker öl och sake (risvin som uttalas sáke), stämningen är god. Du måste gå på toa. På stela ben reser du dig och visas till rummet med hålet i golvet. Vid dörren finns ett par plasttofflor.

Meningen är att du ska byta dina gästtofflor till toatofflorna. Då du kommer ut har du antagligen glömt att byta tillbaka till gästtofflorna igen. Det brukar utlänningar göra.

Stor munterhet kan nu utbryta i rummet. Men det är lika troligt att de av artighet inte säger ett ljud om din fadäs. Du märker kanske misstaget själv och ser att där sitter du med två lysande gröna plasttofflor på vilka det står "toalett" på japanska. Alla andra har likadana mörkbruna gästtofflor.

Om du nu är en blyg svensk av vanliga sorten försöker du kanske dölja ditt misstag, du kanske sätter dig på fötterna, försöker sticka in dem någonstans där de inte syns.

Följaktligen är din redan förut ganska obekväma ställning nu så obekväm att du börjar få kramp.

Men sista tuggan har svalts och därmed är festen så gott som slut. I Japan går man tidigt.

Ni tackar för er. Värden säger *sayonara*, farväl, som ordagrant betyder: "Om det måste vara så!" Och det måste det ju.

Din japanske medgäst och hans värd kanske möts igen någon dag senare. Han rusar då fram och ber tusen gånger om ursäkt för att han bar sig så oerhört illa åt under den lysande banketten.

Värden lyssnar inte alls på det örat – han säger bara att det var "pinsamt lite vi kunde bjuda på och min dumma hustru hade inte vett att göra det tillräckligt fint".

Så bugar de och drar sig tillbaka och allt är bra. Alla har sagt och gjort vad de skulle. Harmonin är återställd.

Anledningen till att japanen aldrig bjuder hem någon är inte att han "skäms för sin fula fru" utan just det faktum att hans bostad är så trång och ligger så långt borta. Många japaner tackar därför ofta nej då de bjuds hem till utlänningar de inte känner väl. De vet nämligen att de inte kan bjuda igen. Därför bjuder japanerna varandra på krogen istället, oftare och bättre än något annat folk.

3. Världens dyraste biffar

I vårt snabbköp kostar malet kött tre gånger mer per kilo än i Sverige, filé är ännu dyrare och det finns alldeles speciellt kött som kan kosta upp till 1 000 kr kilot.

Häpen slår man sig för pannan och undrar om korna är uppfödda på champagne och kaviar.

Det är de inte. Men nästan. De dricker öl och blir masserade med risvin och lever livets goda dagar, dåsande i skuggan, lyssnande på radions stillsamma konserter.

Undra på att köttpriset blir så högt!

Att det har blivit så här har en lång och ganska festlig bakgrund. I många hundra år var japanerna förbjudna att äta kött. Överklassen, stormännen och de härskande var buddister och en sann buddist är vegetarian, i alla fall äter han inte nötkött.

I den japanska kosten blev kött aldrig någonting naturligt, man åt fisk och grönsaker.

Tiderna ändrades, vanorna likaså. Men då hade det politiska systemet också ändrats radikalt.

Efter kriget, då amerikanarna skulle se till att Japan för all framtid blev ett land med konservativa, proamerikanska regeringar, infördes ett valsystem, som gjorde att parlamentets tyngdpunkt, de flesta av riksdagsmännen, kom från landsorten.

Att befolkningen under tiden strömmade mot städerna påverkade inte systemet. I dag kan en plats i parla-

28

mentet för en person från ett distrikt i Tokyo kosta fem gånger fler röster än han behöver i ett distrikt på landet.

Vanligt är att politikern i staden får betala två gånger mer för sin plats än kandidaterna från landet.

Resultatet är att landets mäktigaste väljare i dagens Japan inte är industriarbetarna eller löntagarna i städerna, de som driver världens största ekonomi, utan bönderna, jordägarna, trots att mindre än sex procent av landets befolkning är bönder.

Alla de senaste statsministrarna och de tunga namnen i japansk politik är invalda från valkretsar dominerade av dessa väljare.

Alltså är böndernas röster stämmor som hörs i riksdagen. Då bönderna kräver något, brukar de också få det. Därför driver Japan i dag världens dyraste jordbruk och riset är dyrare i affärerna i Tokyo än det är i Stockholm.

Bönderna försvaras naturligtvis officiellt med argument som att landets livsmedelsförsörjning måste skyddas o s v.

Följden är att de japanska konsumenterna i dag får betala mer för sitt kött än konsumenterna i något annat land på jorden. Att detta kan fortsätta så länge beror alltså på de starka politiska krafterna och ekonomiska intressena bakom prissättningen – och det faktum att japanerna, som öbor, inte har några andra priser att jämföra med.

Bönderna kan driva sin boskapsuppfödning som den exklusiva hobby det är.

Vi gjorde en gång ett TV-reportage från det mest kända köttdistriktet i Japan. Få av bönderna där hade fler än tio ytterst dyrbara rasdjur.

De låg alla stilla i sina ladugårdar, musik spelades för dem hela dagen. Varje eftermiddag kom bonden med

29

ölflaskorna. Literbuteljer starköl som stod i stora backar bakom ladugården.

Käkarna bändes upp på den trötta kossan, som sög i sig ölet på några sekunder. Och sen en liter till.

Sålunda stimulerad av alkohol leddes kossan ut i solen, bands vid en stolpe. Bonden gick och hämtade en stor flaska risvin, sake, och en knippa hö.

Han fyllde munnen med vinet och sprayade ut de dyrbara dropparna på kossans rygg. Han tog höet och masserade varsamt in vinet i huden.

Avsikten med allt detta är att köttet ska bli fint marmorerat, idealiskt för japansk matlagning.

De allra bästa filéerna, de som kan kosta 1 000 kr kilot, är så möra att man helst ska äta köttet rått, som rå fisk. Det smälter i munnen.

Efter massage och frisk luft leddes den nu något bakfulla kossan in i ladugårdens barmhärtiga skugga igen. Musiken skruvades på och ännu en dag led mot sitt slut för världens mest bortskämda nötkreatur, den japanska biffkon.

Mannen som i svensk TV hade utfört vinsprayning och massage hade av olika tekniska skäl tvingats göra om proceduren ett par gånger. Då vi åkte därifrån kunde vi konstatera att den nyans av röda friska kinder han hade skilde sig på något sätt från den väderbitna röda friskhet som t ex min biffkouppfödande granne hemma i Bergslagen har.

Kanske komassage med risvin är bra för hyn, också?

4. Samma kläder i plugget sen 1892

Måste vara filminspelning på gång, tänker den skarpögde turisten. Nere på gatan i morgonstunden passerar klungor av uniformsklädda ungdomar.

Ynglingar i uniformer som ser ut som någonting från kadettskolan i S:t Petersburg vid sekelskiftet. Svarta, höghalsade jackor, skärmmössor.

Där kommer flickor i svarta sjömansklänningar, kjolarna går ner till halva vaden.

Där kommer andra flickor med kappor över sjömansklänningarna, de ser ännu värre ut än den första klungan – de ser ut som kringvandrande herrbetjänter, ni vet sådana där ställningar man har i sovrummet för kläderna. Så uppsträckta är de och samtidigt platta och formlösa.

Där kommer elva–tolvåringar i kortbyxor, runda svarta hattar och knäppkängor. Klart det är filminspelning – tänk er själva kortbyxsjömanskostym på familjens egen tuffa elvaåring där hemma – och knäppkängor!

Så småningom klarnar bilden. De här arméerna av uniformerade ungdomar ser alltid ut så där. Det är skoluniformen. De allra flesta japanska skolbarn har sådana uniformer hela skoltiden, och vissa universitet har det också.

Ju äldre och finare skola, desto stramare och mer gammalmodig uniform. Vi gjorde reportage en gång från en skola som stolt meddelade att man inte bytt uniform sen 1892.

Där i den långa skolkorridoren fanns rader av hyllor längs ena väggen, på hyllorna låg ynglingarnas skärmmössor prydligt radade som tårtor i ett konditori. Paraplyna stod i gevärsställsliknande rader i stram givakt. Det var ingen krigshögskola utan en helt vanlig låg- och mellanstadieskola.

Uniformerna sitter på barnen ända tills sommaren officiellt har inträtt och det sker inte förrän regntiden är över, vilket aldrig händer förrän i månadsskiftet juni–juli. Att det då i maj–juni kan vara 30 grader varmt dag efter dag spelar ingen roll.

Där kan man se de stackars eleverna sitta med sina svarta rockar, höga rockkragar och därtill vita stärkkragar, modell fadermördare.

Då Japan öppnades för 125 år sedan och de många expeditionerna skickades ut i världen för att hämta hem de bästa systemen för administration, skolor etc. bestämde man sig för det tyska skolsystemet. Därför blev det också tyska skol- och universitetsuniformer.

Alltså kan en japansk restaurang för ungdomar i dag se ut som en tagning för en inspelning av "Tiggarstudenten", med den skillnaden att japanska ungdomar inte dricker något starkare än Coca-cola.

Familjens egna ungdomar skulle kläs i uniform den första dagen de började i sin japanska skola. Deras uniformer var dock trevligare än de flesta: flickorna har skotskrutiga kjolar, pojkarna har grå långbyxor, vita skjortor och skotskrutiga slipsar i samma klanmönster som flickornas kjolar. Under svalare årstider har både pojkar och flickor mörka kavajer med skolmärket på bröstfickan.

Det hela avslutas med svarta skor, flickorna ska helst ha lackskor.

Tänk er själva om ni har barn i 10–13-årsåldern i Sverige hur det vore att plötsligt klä ut dem i denna mundering.

Som ni förstår var deras entusiasm den första morgonen fullt jämförbar med den man finner hos en som ska föras till sin egen avrättning. Sonen var övertygad om att hela världen skulle skratta ut honom.

Men de upptäckte att alla barn i deras ålder hade uniformer och de märkte ju att varenda en i skolan såg likadan ut. De vande sig och nu gillar de uniformerna.

Som förälder kan man bara tycka att det hela är en strålande tradition, även om man önskar att de tusentals miniatyrkadetterna kunde demobiliseras och få mer praktiska kläder.

Nu slipper man de långa diskussionerna om vad ungarna ska ha på sig varje morgon. Det är ingen modeuppvisning i pluggen.

Och efter ett tag tycker man själv att denna typ av uniformering faktiskt är bättre än den som råder i de svenska skolorna, där kamrattrycket gör att varenda en infinner sig i liknande kläder varje morgon, personliga avvikelser förföljs. Vilket system är bäst?

5. Gangster, ett yrke man inte föraktar

Tokyo stänger tidigt, gatorna i de flesta stadsdelar töms på folk. Restauranger för vanliga människor stänger kanske redan vid tiotiden. Bara vissa stadsdelars nöjeskvarter är öppna hela natten.

Turisten kommer sakta gående sent på kvällen ner för en smal gata. Klackarna ekar mot trottoaren. En katt jamar och hoppar över muren till villaområdet, uppe på murkrönet glimmar krossat glas, som placerats där för att jaga bort presumtiva murklättrare.

Turisten har kanske gått nattliga gator i andra storstäder. Han kanske har promenerat nattetid på Manhattan. Han kanske rent av nu känner hur blodet isas, öronen fladdrar som radarskärmar, hjärtat bultar och plånboken känns som en tidsinställd bomb i innerfickan. Ett gäng ungdomar på monsterliknande motorcyklar står plötsligt i ett gathörn. Turisten skyndar på sina steg och upptäcker en ledig taxi. Likt en drunknande i sjönöd klamrar sig fast vid den utkastade livbojen, griper nu turisten i taxidörren – äntligen i säkerhet: Till hotellet! Puh, det var nära.

Nära vadå? Troligtvis hade turisten inte upplevt någonting annat än en stärkande promenad, om han hade gått hela vägen. Sannolikheten för att han skulle bli överfallen i Tokyo, världens största moderna huvudstad, är minimal.

I Tokyo sker ungefär lika många mord och överfall per månad som under några dagar i New York. Och offren är nästan aldrig utlänningar.

För inte så länge sen bodde jag på ett hotell i centrala Los Angeles. Vid solnedgången tömdes gatorna. Det var som i Beirut under utegångsförbud och inbördeskrig. De sista butiksägarna fullkomligt slet ner sina ståljalusier och de sista tidningsförsäljarna sprang från platsen.

Hotellrummets dörr hade tre lås. Mitt i dörren fanns en sluss, ungefär som i ett fängelse, och genom den skulle jag kommunicera med eventuell room-service.

I korridoren utanför passerade regelbundet övergödda nattvakter, dignande under knippen av nycklar, batonger, ficklampor och med en ständigt påskruvad walkie-talkie.

Ytterdörren till detta hotell, Hilton – och alltså inget ungkarlshotell i slummen, var låst tidigt på kvällen. Personalen öppnade något motvilligt och menade att vi fick gå ut på egen risk.

Vi sprang till vår bil, fort in, låste alla dörrar och körde därifrån i hög fart.

Där på hotellet, ängsligt blickande fram bakom gardinerna, satt en japansk resegrupp. Japanerna har, precis som de flesta européer, vuxit upp med drömmen om Amerika. Men japaner som kommer till USA:s storstäder har ingenting att lära, ingenting att ta efter.

Tokyo är till det yttre Asiens mest utvecklade och västerländska stad, här finns allting som finns i alla andra städer – men bättre, renare, säkrare.

Då många äldre med olust går ner i tunnelbanan på veckoslutskvällarna i Stockholm, gör de det med glädje i Tokyo. Då man i Stockholm försöker hitta ett säte som inte är sönderskuret, som inte är dekorerat med senapskladdiga pappersservetter, helst i en vagn utan spyor på väggarna, sätter man sig lugnt i Tokyovagnen. Sätena är av sammet, allting är städat och prydligt. Inte ett kludd. Inte en repa.

Allt detta sker utan att man ser en enda polis eller vaktman eller vakthund. Inga frivilliga ungdomsgäng av typen New Yorks-änglar, som likt rättvisans och det godas kommandosoldater stryker omkring i underjorden, finns i Tokyo.

I stället ser man en armé av herrar i prydliga kostymer, slips och vita skjortor.

Visst finns det bovar i Japan också. Eftersom Japan är ett utvecklat land har man officiell statistik på bovarna också, de organiserade bovarna. Det finns i dag exakt 103 263 gangsters, *jakusa*. De är medlemmar i exakt 2 452 olika organisationer. Polisen har namn på dem allihop.

En gång frågade jag en polischef varför Japan hade förskonats från den i västerlandet så vanliga knarktrafiken bland ungdomar. Han funderade länge på detta, till slut hade han svaret: "Ni förstår, i Japan är knark olagligt!"

Naturligtvis. Olagligt. Det förklarar ju varför ingen japan sysslar med sånt.

Ta tobaksrökning för ungdomar t.ex. I skolorna får man inte röka, alltså röker man inte. Jag frågade en gång en 15-åring hur det var med tobaken i hans skola. Han stirrade på mig som om jag kom från månen. Ska den vara journalist, ska den göra reportage från Japan?

Vet han inte att det är *förbjudet* att röka i skolan? Hur kan det då vara ett problem? Det är över huvud taget förbjudet att röka för skolungdom under 18 år, var de än är.

Visst förekommer det att ungar röker. Visst finns det knarkare. Visst busar japanska skolungdomar också.

Men de är så få att de ryms i felmarginalen, som det brukar heta i Sverige då SIFO:s väljarbarometrar publiceras.

Men den riktiga brottsligheten, den är som sagt mycket väl organiserad. Därför vet polisen exakt var den finns. Det är för övrigt inte något större detektivarbete. De flesta gangsterorganisationer har nämligen egna kontor med organisationens namn på dörren. Och alla gangsters, de bär, precis som alla andra livstidsanställda japaner, med stolthet sina företags nålar på kavajslaget.

Detta är fullkomligt sant.

Svensk TV var en gång med på den då mest kände och mäktigaste gangsterchefens begravning. Han var ledare för Yamaguchigumi, landets mäktigaste gangstergrupp med 12 893 medlemmar, enligt polisens egen statistik. Det kom nära 1 000 gangsters från hela landet till begravningen. De kom organisationsvis. De kom med tåg och buss och i stora amerikanska vrålåk (för övrigt bara gangsters och riktigt höga politiker som kör i sådana bilar i Japan).

De hade sina märken på kavajslagen, det var som i Kalle Anka då Björnligan har möte. En gangsterkunnig kunde stå vid dörren och berätta exakt vilka organisationer som kom för att ge den avlidne gangsterchefen en sista hyllning. Det var en pampig tillställning med politiker och filmstjärnor och till och med representanter för den största konkurrentorganisationen Sumiyoshi (som kontrollerar Tokyo, 3 900 medlemmar) var närvarande.

Gangsters behöver inte ha sina nålar på sig, man kan ändå se vilket yrke de har. De har alla samma sorts kläder, ofta samma sorts kortklippta, men permanentade frisyr, kostymer av ungefär samma snitt som i Chicago under de smattrande maskinpistolernas tid.

Anledningen till att polisen inte ingriper, att gangsterna kan verka öppet är att de allra flesta aldrig skulle angripa en oskyldig människa på gatan. De flesta gangstergrupper lever på att råna och lura varandra. De lever på penningutlåning till ockerräntor, de driver klubbar, spelhallar och restauranger. Brottsligheten är så att säga inom familjerna.

Varje grupp kontrollerar sitt kvarter, ibland hela stadsdelar, till och med en hel stad. Då vågar ingen annan gangster göra något skumt där.

Varje medlem söker värvning i unga år, han får meritera sig på något sätt, så tas han om hand, ges ett jobb, t.ex. som inkastare på en bar. Han har sin trygga bärgning, i gengäld är han lojal mot organisationen. Toppledarna sitter då och då inne, precis som i USA, oftast anklagade för olika skattebrott. Då de släpps ur fängelset kan karavaner på 30–40 svarta dollargrin stå och vänta. Ledaren möts med djupa bugningar från de lojala underhuggarna och chefen är tillbaka i business igen.

De mest kända ledarna deltar i etablissemangets sociala liv. Deras bortgifta döttrar fotograferas i tidningarna, den stolte fadern poserar. I texten står det: "gangstern" så och så har gift bort sin dotter. Smarta gangsters satsar pengar i de politiska kampanjerna; ansedda politiker, ibland rentav medlemmar i regeringen, kan dyka upp på någon gangsterchefs cocktailparty eller födelsedag.

De senaste åren har polisen försiktigt försökt avbryta förbindelserna mellan gangstersyndikaten och storföretagen. Under en lång tid har företagen t.ex. anlitat *sokaiyas* eller ordningsvakter på sina bolagsstämmor. Ordningsvakterna var gangsters som genom utpressning påtvingade företagen sina tjänster.

Om ett företag menade att de inte behövde några ordningsvakter, bevisade organisationen mycket lätt vid nästa stämma att vakter var precis vad det företaget behövde. Lejda bråkmakare dök upp och rev ner inredningen.

Under de stormiga åren på 60- och 70-talen då starka vänster- och miljögrupper angrep företagen för deras hänsynslösa politik, kunde det hända att någon med en eller två nyinköpta aktier steg upp för att hålla ett brandtal eller försöka ställa obekväma frågor. Då gjorde ordningsvakterna blixtsnabba insatser, ordningen var återställd och inga fler pinsamma frågor ställdes.

Organisationerna tjänade miljoner, den överväldigande majoriteten av Japans ansedda börsnoterade företag anlitade sokaiyas. Stora handelshus som Marubeni t.ex. betalade samma år som skandalen kring förre statsminister Tanaka blev känd 1,5 miljon svenska kronor till sokaiyas. Summan är avdragsgill och offentlig. Det var Marubeni som förmedlade affären mellan den amerikanska flygplansfabriken och statsministerns medhjälpare.

Det finns många händelser som visar hur polisen och syndikaten kan samarbeta. Gangsterligorna tillåts ha sina interna uppgörelser under veckans s.k. blå timmar, natten mellan söndag och måndag 02.00–05.00.

Gangsters som under den tiden på avgränsad plats tar livet av varandra brukar kunna göra det utan polisens ingripande. Har inga utomstående kommit till skada och ingen blivit störd, brukar polisen senare plocka upp vad som blivit kvar, offren förklaras ha avlidit genom olyckshändelse eller självmord.

Men ibland kan självmordsteorin användas lite för vårdslöst.

Då Lockheedskandalen började avslöjas kallades en vacker söndag den huvudanklagades – förre statsminister Tanaka – privatchaufför till förhör hos åklagaren. Han var en av dem som förmodligen visste mest om vilka vägar Tanaka och hans privatsekreterare hade färdats.

Efter förhöret verkade chauffören vara vid gott mod. Dagen därpå skulle han fira sin 43-årsdag tillsammans med familjen.

Tidigt i gryningen den dagen hittades mannen, sittande i sin bil. En slang gick från avgasröret till hans mun.

Detta är en vanlig självmordsmetod i Japan. Den här gången hade självmordsoffret mycket ordentligt torkat av slangen, dörrhandtagen och andra föremål. Hans fingeravtryck fanns inte där. Han efterlämnade varken brev eller förklaring. Typiskt självmord, förklarade polisen. Och alla myndigheter lät sig nöja.

Så sent som våren 1983 hade myndigheternas kamp mot sokaiyas gått så långt att man lyckats få fram en lag som förbjöd deras verksamhet.

Kort efteråt meddelade de stora japanska företagen att nu, eftersom det var olagligt, hade man upphört att anlita sokaiyas. Punkt slut. Syndikaten tvingas väl inleda ett omfattande omskolningsprogram.

Om det nu skulle inträffa att en oskyldig turist plötsligt skulle bli rånad i ett kvarter, är det mycket troligt att polisen i samarbete med den lokala gangsterorganisationen snabbt tar reda på den skyldige. Freelanceverksamhet och intrång kan inte accepteras.

Därför kan vem som helst gå tryggt på gatorna nästan överallt i hela Tokyo. Alla tider på dygnet. I vilken annan mångmiljonstad är det möjligt?

6. Åtta kanaler mord och hor

Nu lär det faktiskt finnas folk i Sverige som tycker att svensk TV är botten. Ja, jag förstår att det låter konstigt, men de mest kritiska brukar säga att svenska TV-program är dötrista, ospännande, allvarliga, tråkiga, stela och folkskollärarmässiga. Det är Martin Luther och pekpinnen hela tiden, just som man fått i sig kvällsgroggen och börjar tycka att livet trots allt inte är så tokigt, då kommer TV med något heltäckande program om "döden i glesbygd", i parallellkanalen går då någon intressant paneldiskussion om sambandet mellan depression och glesnande hårväxt i medelåldern.

Därför brukar många svenska turister som kommer hit kasta sig över TV:n på hotellrummet. Först bländas de fullständigt. Tänk! Minst åtta kanaler, sändning nästan dygnet runt! Tjo och tjim, skratt och full rulle hela tiden.

I Japan börjar sändningarna redan vid femtiden, de flesta japaner sätter på apparaten så fort de vaknat, d v s vid sextiden. Då serveras morgonnyheterna till morgonriset, över 30 miljoner japaner har sett nyheterna innan de klämmer in sig i förortstågen.

Sen står TV:n på hela dagen, nästan, för de allra flesta kvinnor är hemmafruar och hemmafruar går hemma, det hör man ju av namnet.

Varenda japan, man, kvinna, spädbarn och åldring, ser i medeltal på TV 3,30 timmar varje dag. Eftersom alla män är på jobbet hela dagarna, och många barn är i

41

skolan på dagarna och pluggar på kvällarna är det alltså en hel del som sitter där och glor hela dagarna och ger Japan denna höga medeltittarnivå.

Vad är det de tittar på?

Svar: Reklam.

Så verkar det i alla fall för en reklam-ovan svensk. Alla kanaler, utom det nationella TV-bolaget NHK, finansieras med reklampengar, så nästan dygnet runt hoppar, skuttar, skrattar och sjunger folk i rutan och försöker sälja allt från nya bilmodeller, toalettstolar som spolar dig i stjärten till begravningsservice för hela familjen.

De japanska bilarna som i Europa säljs på sina företräden som säkra och bensinsnåla, säljs i Japan med helt andra argument. Här är det som i Europa på 50-talet, bilen är status, sexsymbol, potensbevis.

På förmiddagarna kör TV husmorsprogram. Visst kan det vara matlagning och tårdrypande tvåloperor, fyllda av längtan, svek och kärlek. Men de kan lika gärna vara hårresande reportage och "frågestunder" med olycksdrabbade människor. Programvärden kan ha en gråtande man i studion, bredvid sig har han två snyftande barn. En stillbild visar mannens förlupna hustru. Programvärden talar snabbt och engagerat, bildförflyttning till förort någonstans.

Kameran går upp mot en dörr, reportern bankar på. Dörren öppnas på glänt. Mörk figur syns i dörröppningen. Ha! Det är den förlupna hustrun!

Reportern försöker tränga sig in. Hustrun kämpar emot. Till slut får hon igen dörren. Genom brevlådan görs försök till intervju: Varför har du lämnat hem och barn? Hur kan du vara så grym? Längtar du inte efter barnen? Tänker du aldrig på dem?

Stillbild på älskaren. Stillbild på älskarens arbetsplats.

Nästa reportage är från en by där 18 skolbarn drunknade i en olyckshändelse. Man ser hur små barnkroppar tas upp i en räddningsbåt, gråtande kvinnor står lutade mot varandra på stranden.

Reportern tränger sig fram, upp med mikrofonen i deras ansikten, kameran på med närbild.

Förvridet ansikte tillhörande 40-årig trebarnsmor som just fått veta att hennes tre barn hittats drunknade. Kvinnan kvider av gråt. Reportern frågar: Hur känns det?

Frågan upprepas gång på gång. Kvinnan vänder bort ansiktet. Kameran följer efter.

Tillbaka till studion. Programvärden tittar allvarligt på oss någon sekund, så över till nästa begivenhet: "I dag är det begravning i Hokkaido för de 25 gruvarbetarna som kvävdes i explosionen i förra veckan. Vårt reportageteam är där, men först det här":

En minut smattrande reklam om hårschampo, hårborttagningsmedel och medel mot dålig andedräkt.

Så håller det på, timme efter timme.

Andra kanaler har långfilmer. Alltid dubbade till japanska. Det kan se rätt konstigt ut då Harriet Andersson tittar upp i någon gripande scen i en Ingmar Bergman-film och på flytande japanska skäller ut Max von Sydow, som svarar med några samurajliknande grymtningar.

Jag har till och med sett Pippi Långstrump på japanska.

Fram emot bästa sändningstiden på kvällen är det samurajer över hela linjen. Samurajfilmerna är lika vanliga som cowboy-filmer i västerlandet, och de fyller samma funktion. Det är drömmen om den lille mannen som praktiskt taget tomhänt besegrar hela arméer av bovar och banditer, slår huvudet av dem alla och sen vandrar vidare mot nya spännande och okända mål.

Hjälten kan ibland slåss mot 20–30 bovar på en gång, de hoppar fram ur varenda buske, de är alla hiskeliga med långa blanka svärd. Men de japanska filmbovarna är mycket justa. Det händer ALDRIG att de tio som står *bakom* HJÄLTEN skulle kasta sig över honom bakifrån, samtidigt som han är upptagen med de 20–30 framför sig. Nej. De väntar alla på sin tur att bli nedmejade.

Allt detta sker under vrål, tjut och vapenklang. Samurajfilmerna tidigt på kvällen har nästan inget blod alls. De ramlar i gräset under avgrundsvrål, men totalt blodlösa. Detta gör de antagligen för att bespara filmbolaget tvättkostnaderna för all ketchup. Nu kan de ju bara resa sig upp och spela in nästa avsnitt omedelbart.

Mot slutet av kvällen kommer de filmer man kostat på. Det blir allt våldsammare. Man sitter där och duckar framför TV:n. En skicklig svärdsman kunde i verkligheten klyva sin fiende i ett enda hugg. Det kan de allihop i TV:n och jag lovar att det går åt mycket ketchup.

Vi byter kanal. Vi tror inte våra ögon. En naken kvinna ligger stönande på rygg, uppenbarligen avfotograferad under ett lyckat samlags slutfas. Av ljudet att döma. Mannen är en person klädd i kostym, slips och glasögon.

I japansk TV kan man visa nästan hur mycket sex som helst, bara inga könshår syns. Ett könshår är det mest ruskiga som finns, anser den japanska censuren. Därför har aldrig ett enda hårstrå släppts fram på TV-duken.

44

Ska kvinnans könsdelar uppvisas kan man ju ta små- flickor. De har ju inga hår. Det är lagligt. Mäns könsde- lar är däremot fortfarande tabu, i alla åldrar.

Porrfilmer, samlagsscener och fruktansvärda sexual- brutala scener är tillåtna, bara inga hår syns. Numera klipper man inte bort detta skamliga. Tekniken går framåt.

Nu har man en maskin som gör att då kameran glider uppför den vackra kvinnans välformade ben och närmar sig själva centrum, så att säga, då blir bilden just där alldeles suddig. Men skarp runt omkring. Det ser myc- ket konstigt ut.

Regissören kan också göra så att det alltid, precis i rätt ögonblick, står en blomvas i vägen, en stolsrygg, ett knä, ett prydnadsföremål.

Någon form av porr sänds på någon kanal varje kväll. De flesta kommersiella kanalerna har program med titlar som "Herrarnas timme" eller något liknande.

De har alla samma mönster. Programvärden, ofta iklädd vit smoking och lagom trötta och utslitna äldre medelålders drag, hälsar välkommen. Han har ett glas med en whiskyliknande vätska framför sig på bordet. Bredvid honom sitter programvärdinnan, vars enda uppgift är att under värdens samtal inskjuta lämpliga och beundrande: oooh, aaah... åh! samt fnissa på lämpliga ställen.

Programchefen säger: "I dag har vi ett reportage från de varma källornas hotell i fjällen, vår reporter visar hur man öppnat service för dem som vill se men inte röra! Ha! Ha! Men först det här": Nu ser man en femtonårig naken flicka, generat leende titta fram bak- om en pelare, sen kommer whiskyreklam. Sen förstår vi att den femtonåriga flickan med de fingerborgsstora

45

brösten är kvällens nummerflicka. Hon kommer i bild före varje reklamsnutt.

Så kvällens reportage i "Herrarnas timme". En vilt fnissande reporter flåsberättar starkt forcerat hur hotellet öppnat en "titt-show". Kameran visar en ung tjej som ligger och kåtar sig naken på en säng. Hon ligger i mitten i ett runt rum, väggarna är perforerade av runda fönster, bakom varje fönster finns små rum, i varje rum sitter män i kostymer med en rulle hushållspapper bredvid sig, händerna i knät; de är filmade bakifrån.

Vi byter kanal. Frågesporter och allehanda tävlingar för vuxna pågår nästan hela dygnet, de flesta av de tävlande hånas eller förödmjukas på något sätt. Som belöning för sveda och värk avtågar de med tvättmaskiner, videoapparater eller, får man förmoda, tjocka kuvert med pengar. Man har haft tävlingar om: "Vem har de fulaste brösten" eller "Vem har den hårigaste kroppen". Den sistnämnda tävlingen var oerhört intressant för publiken eftersom de flesta japaner nästan saknar kroppshår. Man har till och med haft tävlingar i pruttning.

Deckarserier avlöser varandra, de är oftast hemmagjorda. Japanska poliser och skurkar skjuter på varandra, ungefär lika många skott per film som verklighetens bovar och poliser skjuter i hela Japan under 50 år.

En av de mest populära serierna visar stentuffa poliser i stadsdelen Shinjuku. Varje avsnitt slutar i våldsamma shoot-outs. Jag frågade en gång polischefen i Shinjuku hur ofta de avlossar ett skott. Efter långt funderande kom han fram till att under den senaste 15-årsperioden inträffade detta en (1) gång. Shinjuku är ett av de största polisdistrikten och där ligger de flesta nattklubbarna och barerna.

Allt detta pågår dag efter dag över de japanska kanalerna. Visst finns det mycket vacker musik, visst finns det bra nyhetsprogram ibland, men det är ju avvikelserna från vad en utlänning är van att se, som han lägger märke till.

Så det är med en viss lättnad TV-tittaren till slut stänger av det sista samurajvrålet och låter den sista våldtagna kvinnans ångestrop tyna bort.

Japan är världens ledande nation vad gäller TV-teknik, nästan all elektronisk utrustning i världens ledande TV-länder kommer i dag från Japan. Men man får vara tacksam över att de japanska TV-programmen inte säljs med samma framgång.

7. Tack = Det är svårt att finnas till

En gång satt jag på ett kafé i solen på en av våra vanligaste svenska turistorter vid Medelhavet. Bakom mig hörde jag hur ett svenskt par bad att få betala. På svenska. Ingenting hände.

De höjde rösten: Får vi betala. De artikulerade ordentligt och formade munnarna så att varje bokstav tydligt kunde läsas rent visuellt. BETALA! Ingen reaktion.

Nu blev de allt rödare i ansiktena och med ytterligare förbättrad mimik ropade de i kör F-Å-R V-I B-E-T-A-L-A! De började få kramp i ansiktet av all mimik och de ropade allt högre. Till slut fick de betala.

Den här metoden att höja rösten och tala allt tydligare i tron att man ska bli förstådd är ingen bra metod i Japan. Japanerna talar inget begripligt språk, brukar frustrerade svenskar utbrista, svenskar som alltså representerar ett folk med ett språk som talas av lika många människor som knappt halva Tokyos befolkning. Japanska talas av ca 120 miljoner människor och eftersom de allra flesta av dem aldrig lämnat sina öar och de är stolta representanter för en egen kultur och en nation som under 1900-talet nått större framgångar i ekonomi och teknik än något annat land på jorden – eftersom de alla är klart medvetna om detta börjar allt fler japaner inse att det är *vi* som bör lära oss japanska.

Men att lära sig japanska är inte så lätt. Redan för flera hundra år sedan skrev en av påvens utsända spioner ett hemligt brev till Vatikanen där han uppgivet rapporterade att japanska språket troligtvis hade uppfunnits av djävulen för att förhindra att Guds ord spreds till de japanska infödingarna.

Språket ÄR svårt, inte minst skriftspråket, som är världens svåraste, svårare än det kinesiska, eftersom kinesiskt skrivsätt bara är en liten del av det japanska. Japanerna har för säkerhets skull hittat på ytterligare två egna ljudalfabet, med 48 tecken i varje. Dessa två system plus kinesiska tecken blandas sedan utan några riktigt klara regler.

En högt bildad person skriver nästan bara med kinesiska skrivtecken. Barn i småskolan använder enbart ett av ljudalfabeten. Oftast blandar man alltså alla tre, plus latinska bokstäver och ord – egentligen använder japanerna fyra olika skrivsätt på samma gång.

Den som tänker strunta i det talade ordet och tror att det finns något slags internationellt teckenspråk, han blir också dövstum i Japan. Här gör man helt andra gester.

Då du ska tala om dig själv pekar du mot ditt hjärta. Japanen nuddar vid sin nästipp.

Då du ska rita en karta, t.ex. vi står här och ska gå framåt, ritar du antagligen ett streck åt höger, framåt. Japanen ritar sitt streck åt vänster, framåt för honom.

Då du ska rita upp en tidsaxel, här är medeltiden, så kom nya tiden och sen 1900-talet, då ritar du på samma sätt, du går åt höger, med tiden. Japanen går åt vänster – bakåt, anser du.

Du läser din bok från första sidan och börjar uppe till vänster. Japanen börjar på sista sidan, läser från höger till vänster och uppifrån och rakt ner.

Du har fått ett dystert besked, kanske sorgebud hem-

49

ifrån, du ser oerhört allvarlig ut. Japanen i samma situation brister ut i fniss. Du kanske blir arg, han ler allt bredare.

Han har inte blivit tokig utan reagerar bara som man förväntar sig att han ska. Han ska inte besvära dig med sin sorg.

Nu liten språklektion.

Tack heter *arigato* och det betyder ordagrant översatt "Det är svårt att finnas till" och det är exakt hur den japan känner som blir tacksamhetsskyldig. Han måste återgälda skulden så fort han kan.

Samma sak gäller förlåt, ursäkta som heter *sumimasen* och ordagrant betyder "Detta är inte slutet", vilket också stämmer. Förr eller senare tvingas han betala vad han ställt till med.

Vi använder hjärtat i alla möjliga sammanhang, vi talar öppenhjärtigt, varav hjärtat är fullt talar munnen o s v. Japanen talar om magen.

Harakiri har de flesta hört talas om, "att skära upp magen". Det är ingen slump att dödssättet för detta rituella självmord är framkallat av litet privatkirurgi just i magen. För japanen ligger människans själ och centrum för hela livet i magen.

Då en japan är arg, säger han att "hans mage står upp" och vem skulle inte bli arg då. Då japanen ska säga att han förstår dina avsikter säger han något som ordagrant betyder: "Jag kan läsa din mage". Då han ska bestämma sig, säger han i själva verket att "hans mage bestämmer sig". Då du säger: "tala öppenhjärtigt" säger japanen "Öppna din mage på vid gavel". Och då du säger: "Hon menar inte vad hon säger", säger japanen: "Hennes mage och mun är olika".

Enkla ord som *ja* och *nej* är långt ifrån enkla på

japanska. Det är nämligen ganska svårt att få raka besked, klara ja och nej på det sättet som vi är vana vid.

Det sättet att tala betraktas som vulgärt, brutalt och oerhört obildat av en japan, och för övrigt av många ostasiater. Det ligger en stor rikedom och fördel i att vara vag, att ge svar som kan tolkas på olika sätt. På det sättet blir ingen förolämpad eller krossad av alltför brutala besked. Harmonin bevaras.

Detta gör man i denna dag både i affärer och politik, och har alltid gjort. För drygt hundra år sen, då den amerikanske kaptenen Perry anlände till Japan med sina svarta skepp och krävde att få driva handel med de slutna öarna, skrev en av stormännen till shogunen: "Vår politik ska vara att undvika att ge något bestämt svar på deras krav samtidigt som vi uppehåller en fredlig attityd." Det har alltid varit riktlinjen för japansk politik.

Den här vanan att inte binda sig vid någon klar linje och inte ge alltför klara besked lär härstamma från samurajtiden då de feodala svärdsmännen hade rätt att hugga huvudet av alla ofrälse som uppträdde "annorlunda än väntat".

Det är klart att den som är skolad under sådana förhållanden vaktar sin tunga. Japanerna anser dessutom fortfarande att det är bättre att vara harmonisk och enig med någon än att absolut ha rätt.

Därför är de politiska TV-debatterna i Japan helt annorlunda än vad vi är vana vid.

Så här kan det gå till. Panelen presenteras: längst till höger sitter yttersta extremhögerns mest rabiate anhängare, längst till vänster dunderkommunisten, däremellan liberalare krafter. Allt är upplagt för verbalt slagsmål.

I stället börjar den förste talaren med ett ganska långt och snirklande tal där han egentligen inte säger särskilt mycket. Hans politiske motståndare, som vi med vår bakgrund nu tror ska sopa golvet med opponenten, han stiger upp och säger att det var ju ytterst intressant att höra allt detta, och jag kan faktiskt hålla med på de och de punkterna. Så håller de på. Allihop hittar gemensamma intressen och synpunkter. Total harmoni råder.

Det värsta som kan hända är nämligen öppen konfrontation. Om du nu tycker detta är synnerligen exotiskt är det bäst att du rannsakar dig själv först.

Vad brukar DU svara då du är bortbjuden och någon frågar hur det smakar? Vad säger du nästa dag då du ska tacka för senast? Har det aldrig hänt att du klart och tydligt sagt precis tvärtemot det du själv känt och upplevt – just för harmonins skull?

I Japan är det så att ju högre i rang man kommer desto oklarare uttalar man sig. De japanska statsministrarna t.ex. har med få undantag varit män som knappt kan hålla ett tal. De mumlar och stammar, har röstlägen som är fullkomligt omöjliga för massmöten och en förvånad nykomling undrar hur just den mannen nått den positionen. Det kan i alla fall inte vara för hans bländande talekonst.

Konsten är nämligen att just genom att säga så lite som möjligt, bara sitta där och se slug ut, vinna förtroende och status som en tung personlighet, en vis man. Jag har intervjuat japanska politiska experter som på fullaste allvar sagt att en idealisk japansk politiker är den som aldrig avslutar en mening, aldrig tar klar ståndpunkt i någon fråga. Oppositionen får då ingenting att kritisera och han kan aldrig bindas vid någonting som senare visar sig felaktigt eller fatalt för karriären.

En annan initierad förklarade en gång för mig att i ett vanligt japanskt samtal är det bara ungefär 70 procent av kommunikationen som uttalas verbalt, resten meddelas med antydningar och mycket försiktigt kroppsspråk.

En komplikation japanskan har i motsats till vårt utslätade hörru-du-du-språk är att man har många olika artighetsspråk där både verb och pronomen böjs olika beroende på vem som talar med vem, lägre till högre, kvinna till man. En man, som haft en ung flicka som språklärare enligt naturmetoden, blir utskrattad då han öppnar munnen och plötsligt talar som en 18-årig barflicka. Man måste använda rätt språk för rätt tillfälle.

Verbet kommer sist, vilket ger japanerna den unika möjligheten att inleda en lång och invecklad mening under vilken de kan studera ansiktsuttrycket på den tilltalade. Om personen plötsligt blir arg, kan japanen till slut förneka allt han sagt genom en elegant negation i verbet sist. Detta är mycket användbart vid affärssamtal till exempel.

8. Kabuki: Musik, dans och träsmak med nackspärr

Varje kulturellt intresserad turist hamnar förr eller senare på en kabukiteater, klassisk japansk teater.

Namnet låter lovande: ka-bu-ki, *ka* = musik, *bu* = dans och *ki* = rörelse.

Det låter som en show på Broadway, musik, dans och rörelse. Tjosan!

Jag kan försäkra att ingenting ligger längre borta från Broadway än en kabukipjäs.

Först verkar det lovande. Scenen är stor och imponerande inredd, scenbytena är ofta geniala, snabba och fulla av överraskande effekter. Skådespelarnas dräkter är bländande sköna, ja praktfulla. Det finns pjäser där en enda skådespelare har så mycket kläder och attiraljer att han måste passas upp av tolv scenarbetare.

Också publiken verkar lovande avspänd. Många har ytterkläderna på sig. Många sitter och äter ur påsar och burkar. Man skrattar och pratar högt.

Ridån går upp. Snart börjar ovan turist sträcka lite på sig. Efter en halvtimme kanske han förstrött studerar konstruktionen av taket och väggarna. Efter en timme känner han sig stel i ryggen. Efter två börjar han bli desperat. Tredje och fjärde och ibland till och med femte timmen kanske han piskar upp ett glödande ursinne mot den idiot som övertalade honom att gå på detta spektakel som aldrig tar slut.

Det visar sig nämligen att *ka* = musik på japanska är något helt annat än Broadwaymusik. För den absolut otränade och för den som dessutom är omusikalisk låter det mest som ibland öronbedövande oväsen, ibland buller och smällar som säkert är där bara för att man inte ska somna till.

För varje gång handlingen tillspetsas eller något ska hända smäller det till ordentligt från orkestern, det är en man som klappar två träbitar mot varandra med sadistisk njutning, tycker alla de som har fått huvudvärk av ledan och larmet.

Resten av musiken låter mest som pling-plong för den oinvigde. Och RÖRELSE! Oftast rör sig skådespelarna inte alls och de som gör det verkar långa perioder lida av svår ledgångsreumatism. Det går långsamt.

Du tittar dig omkring och märker att publiken ibland inte heller verkar särskilt fängslad. Många sitter och äter japansk bricklunch, som de köper i entrén, komplett med ris och huvudrätt. De äter med pinnar, sörplar öl ur burkar, småpratar, folk går ut och in, någon kanske matar en baby med nappflaska.

För dig som tycker fyra timmar är långt, kan det vara en tröst att veta att det var värre förr – då kunde pjäserna börja klockan sju på morgonen och pågå till sena kvällen, tio–tolv timmar var inte ovanligt.

Precis så här var teatern i Europa på Shakespeares tid. Kabukin har många likheter med den elisabetanska teatern. Nu, precis som på Shakespeares tid, tvingades pjäsförfattarna och skådespelarna till diverse trick för att hålla publiken kvar och intresserad så länge.

Man för in flera parallellhandlingar, burleska och saftiga inslag för ståplatspubliken, vackra och snillrika för dem som är mottagliga för det och plötsliga och dramatiska scenbyten för allas skull.

Likheterna är ännu fler. I kabukin, precis som i

Shakespeares pjäser, som de var skrivna från början, spelas alla kvinnliga roller av män.

Så de undersköna, gracila körsbärsblommorna till kvinnor som trippar fram på kabukiscenen är alla män. Många manliga skådespelare gestaltar bara kvinnliga roller och de främsta av dem är mycket rikare och mer berömda än någon svensk dragshowartist kan drömma om att bli.

Pjäserna beskriver ofta händelser ur historien. Den mest omtyckta pjäsen heter "De fyrtiosju ronins hämnd". Det är berättelsen om hur 47 samurajer under förödmjukande former blev utan herre, han tvingades begå harakiri. Samuraj utan herre är ingen samuraj längre utan kallas ronin, en landsvägsstrykare. De 47 herrelösa krigarna smider nu en plan, som de så småningom lyckas genomföra, deras herres förödmjukelse hämnas och sanningen segrar till slut.

Skådespelarna är oftast medlemmar i familjer som varit skådespelare i generationer, ibland i flera hundra år. De mest kända familjerna äger sina pjäser, inga andra sällskap får sätta upp dem. Familjens färger, och ibland vapen, finns på teaterns ridå och i scenarbetarnas kläder.

Ända sedan slutet av 1600-talet har kabuki spelats med starkt stöd från alla samhällslager.

Från början var kabukin en avant-garde utomhus dansföreställning, men så småningom fördes det in element från hoven, *bugaku*, som är en ytterst stel och formell hovdans och musik med 1200-åriga anor. Kabukin tog också lite från Nohspelen, en 600-årig japansk teaterform, ytterst stiliserade dramer med masker på skådespelarna, så dagens kabukipjäser innehåller element från över 1000 års japansk dramatisk tradition.

Allt det där är ju gott och väl för japanerna, menar turisten, de förstår ju vad som sägs.

Men det är inte alls säkert. De äldsta pjäserna uppförs på gammaljapanska, ett språk som nästan ingen modern japan förstår.

Och nästan varje kabukipjäs har långa avsnitt som är totalt obegripliga för de allra flesta i salongen.

Men i teaterentrén finns det alltid små broschyrer där publiken kan få reda på vad pjäsen handlar om. De riktiga entusiasterna har med sig en översättning till nyjapanska, de sitter och följer med i texten under föreställningen, precis som musikhögskoleeleverna i Stockholm kan sitta på Operans tredje rad och följa med i partituret.

Varje kväll uppförs pjäser som varar både tre, fyra och fem timmar, för utsålda hus, där majoriteten av publiken inte förstår vad som sägs.

Det är som om våra teatrar uppförde timslånga dramer på fornnordiska eller latin och folk satt och klappade frenetiskt i bänkarna.

På det sättet kan en turist närma sig en kabukipjäs på nästan lika villkor som den japanska publiken. Det finns broschyrer på engelska i teaterentrén, klarar man det, så klarar man pjäsen också.

Kabukin är med sin färg och sina ljud och sin långa historia en stor upplevelse – och den som inte tror sig stå ut hela pjäsen kan vara lugn. Det är bara att gå när man vill, det är helt normalt.

9. Den stora katastrofen

Det var tidigt en morgon, jag var ännu inte riktigt vaken, jag drömde att jag låg i en hytt på Finlandsbåten. Det klirrade vid tvättstället, det gungade sakta och vibrerade. Det var en behaglig och rofylld känsla.

Så ökade vibrationerna och klirret. Jag hörde ett kraschande ljud. Plötsligt vaknade jag och insåg att jag låg i min säng på fjärde våningen i centrala Tokyo – men rummet fortsatte att gunga och vibrera. Prydnadsföremål ramlade omkull på byrån. Den rofyllda behagliga känslan försvann blixtsnabbt. Jag insåg att en jordbävning pågick.

Det är egentligen en löjlig känsla. Man är fullkomligt maktlös, man kan bara ligga där och försöka känna åt vilket håll det hela är på väg. Blir det värre, eller avtar det, som det brukar?

Jag lyssnade och kände, en tung spegel hasade sakta åt ena sidan, vibrationerna fortsatte.

Det är klart. Man kan stiga upp och leta reda på den där jordbävningsutrustningen, som bör finnas i varje välutrustat och ansvarskännande hem. Där ska finnas skyddshjälmar, ficklampor, konserver, tändstickor, en filt.

Men på något sätt skulle det kännas fånigt att ligga där i skyddshjälm och med en låda corned beef tryckt mot pyjamasen.

Ja, om man ska vara riktigt korrekt ska man ta skydd under hemmets stadigaste bord. Iförd hjälm och reservproviant. Men man är ju inte ensam, vi är fem personer. Ska jag väcka alla nu, eller om en stund?

Oftast är allting slut lika plötsligt som det började. Tystnad. Det var ju skönt. Förresten har jag inte hunnit köpa en sån där reservutrustning ännu. Det blir liksom aldrig av.

Det värsta är ju att den behövs kanske bara en enda gång. Men vilken?

Barnen har ofta jordbävningsövningar i skolan. Då ringer plötsligt skolklockan på ett visst sätt och alla ska rycka upp sina skyddsluvor som de har under bänken och så ska de krypa ner under bänkarna. Tills faran är över.

Detta brukar ske under fniss och glam.

Utom en gång ganska nyligen. Plötsligt ringde det i klockorna, barnen kände själva att det var någonting på gång, men var inte riktigt övertygade förrän skolans rektor kom in, iklädd skyddsluva, och kastade sig under katedern. Då började barnen att gråta förtvivlat. För rektorn är en imponerande dam, f.d. operasångerska i 150-kiloslassen. När hon ligger där, eller försöker komma in under katedern, med en kaffepannsliknande mössa på huvudet och utan att vare sig le eller förklara sig, då måste det vara allvar.

Men också den gången tog det hela slut innan det blev värre.

Japan drabbas av ett femtiotal jordbävningar varje år, de flesta är ganska svaga, få har dött i Tokyoområdet sedan den stora jordbävningen 1923 när 140 000 människor dödades. De flesta brändes inne i den eldstorm som drog över trä- och kåkstaden Tokyo, då alla fotogenlampor och gasledningar exploderade. Skalven som varit sedan dess har spräckt husfasader, krossat fönster och inredningar.

Vår egen dotter fick ena benet illa sargat en gång. En väggfast spegel hade genom jordbävningen fått en inre spänning i ytan som gjorde att den plötsligt exploderade ut i rummet i tusentals sylvassa skärvor. Flickan stod mitt framför spegeln då det hände, men hon lyckades kasta sig bakåt i sista stund och fick "bara" de djupa skärsåren på skenbenet.

Just nu är det olyckskorparnas tid, det är inne med böcker som förutspår den kommande katastrofen. Eftersom jordbävningarna, de allvarliga, tycks dra över jorden i regelbundna vågor, har man räknat ut att Tokyo snart står i tur igen.

En av de mest ansedda meteorologerna på Tokyos väderbyrå skrev nyligen en bok där han satte både sitt namn och sin ära på spel i spådomen att katastrofen kom 1983 – själv hade han för säkerhets skull flyttat långt bort i säkerhet. Enligt honom skulle det heliga berget Fuji först få ett våldsamt utbrott, explodera och sen skulle jordbävningen komma.

Vad som i så fall skulle hända oss 15 miljoner som står i vägen, boende och arbetande i världens modernaste storstad, anses ganska säkert. Det går åt skogen.

Staten har förvarnare. Varje sekund registreras jordens rörelser, det är som intensivavdelningen på ett lyxsjukhus, varje pulsslag från det innersta av planeten får sin kurva. Då stunden är inne, menar experterna, vet man detta minst en dag innan. Då ställer man sig stillsamt frågan: Vad gör myndigheterna med denna information? Det är omöjligt att evakuera 15 miljoner människor ur en storstad där det inte finns några evakueringsplaner och än mindre några vägar ut. Den som åkt i Tokyos trafik en helt vanlig rusningstidseftermiddag, så att säga i fredstid, utan ens den blekaste förvarning om en förestående katastrof, den ser ju själv att utsikterna att någon i full panik skulle kunna ta sig ut ur Tokyo är minimal.

Alltså tar man ut kejsaren, hans familj, regeringen, höga gubbar och pampar – och deras familjer. Men hur kan man veta att inte en enda av dem varnar en enda av SINA släktingar och vänner? Och de i sin tur sina.

Frågan är om inte tusentals skulle dö redan i den panikrush som skulle uppstå i väntan på katastrofen.

Många tänker på detta varje dag.

Ändå är jordbävningen inte det enda som kan drabba oss. Japan, som till ytan inte är större än Norge, är det enda land på jorden som när som helst kan drabbas av en eller samtliga av följande katastrofer: jordbävning, vulkanutbrott, tyfon, tidvattensvåg, häftiga skyfall, större jordras, allvarlig miljögiftskatastrof och kärn-kraftsolycka. På denna lilla jordplätt, där bara 27 procent av marken är odlingsbar, här bland de 60 aktiva vulkanerna, bor 120 miljoner människor.

Någon kanske undrar hur man kan bo i ett sådant land. Det måste vara "Hjälm på!" dygnet runt och säkert både fallskärm och säkerhetsbälte bara man går och handlar morgonfrallorna.

Jag kan försäkra att det är helt fel. Det finns ingen skillnad mellan den lantliga ro som utströmmar från skogarna i Bergslagen, där vi har vårt sommartorp, eller den trygga frid som råder i ett japanskt hem i stad eller på land. Ingen panik, ingen lever som om varje dag vore den sista.

Eller som vi tror man skulle leva om varje dag vore den sista. Men vad vet vi om det förresten, när den sista dagen är här? Tänk om man alltid levde i tjugofyratim-mars perioder, hur annorlunda allt skulle vara. Eller hur? Hur viktigt allting plötsligt skulle bli. Varje ord, varje handling.

Varför lever man inte så hela tiden, förresten? Hur vet vi att inte just detta dygn är det sista?

Hur lever då folket här, tätt intill denna tidsinställda bomb som det dagliga katastrofhotet måste vara? Vad gör de på sin fritid? Gräver de skyddsrum? Någon gång måste väl också en japan ta ledigt, även om vi förstått att de helst sliter dygnet runt för kejsaren och fosterlandet.

Ja, helst åker han iväg någonstans, i grupp, helst tillsammans med arbetskamraterna, i värsta fall med familjen.

De behöver inte åka långt. Nära Sveriges televisions kontor i Tokyo finns en stor park och dit brukar t.ex. fågelskådarklubbarna komma.

Det kommer så där 50–60 stycken på en gång. Alla givetvis korrekt klädda för fågelskådning. I Japan är emballaget, omslaget, det formella på ytan, ytterst viktigt. Alltså har alla i klubben riktiga kängor för marsch i sumpmarker, de har kameror med långa och korta objektiv, kikare, stativ, korrekta golfbyxliknande benkläder, ordentliga jackor med massor av fickor, hattar på huvudena. De marscherar alla på en gång till observationsplatsen, ställer upp sig i en lång rad, vända åt samma håll. Observationerna inleds. De observerar tillsammans, de trivs.

Inte vet jag om de ser någonting i de fina linserna och objektiven. Men för fåglarna som gömmer sig bland träden måste det se mycket konstigt ut med den där armén uppställd, pekande på sig.

Andra är kanske med i målarklubben. De är i min omgivning alltid lite äldre, från 40 år till 80. Alla kommer klädda i konstnärsriktiga baskrar eller slokhattar, sådana som brukas längs Seines stränder. En gång var de 49 stycken, samtliga försedda med riktiga stafflier av fint trä, oljeduksramar, oljefärg i klickar på riktiga paletter. Så satt de på rad i parken, tätt intill varandra, armbågs lucka, målande samma motiv. Men det blev faktiskt 49 helt olika tavlor. Vad de målade? Utsikten tvärs över gatan:

Stadsdelens största hamburgerrestaurang, tätt intill en japansk restaurang, intill ett högt smalt vitt hus i glas, fyllt av modebutiker, intill ett äkta franskt konditori, intill en affär som säljer kläder där ingen trasa går för under 500 kronor halvmetern.

På söndag morgon kan man se tusentals japaner släpa dyra och tunga golfutrustningar ut till sina väntande bilar. De är alla på väg till någon av de hundratals golfklubbar som finns över hela stan. Banorna är en öppen plats uppe på ett hustak, på en tillfällig rivningstomt eller inne i en park. Ett grönt nät är uppspänt. I ena änden står en rad med utslagsplatser för golfbollar, bollar som hamnar i nätet i andra änden.

Hit kör nu de korrekt klädda golfarna. De står i kö för sin tur vid utslagsplatsen.

De köper ut en hink med bollar. De sätter på sig de korrekta golfskorna à 900 kr styck, intar korrekt position och klämmer till boll efter boll. Timme efter timme står de där, golfarna, och slår sina bollar med korrekta schvung och med blicken fäst vid någon punkt långt, långt bortom den här struntbanans gröna nät. Kanske ser de bort mot drömmarnas riktiga golfklubbar, dit majoriteten aldrig kommer därför att medlemsavgifterna är svindlande höga, väntetiderna för nya medlemmar flera år och vägen dit ut kanske tar alltför lång tid för en vanlig ledig söndag.

De största banorna av den här övningstypen har flera

hundra golfare tränande på en gång i flera plan på varandra. Det finns sådana här golfbanor på hustak över hela Tokyo.

På helgen kan man se en annan typ av fritidsmänniskor. De kommer klädda för storsjöfiske. Fiskejacka, fiskespön, håvar, sjöstövlar. Allt klart för haj eller tumlare eller vad som helst som Hemingway och de stora grabbarna släpade hem.

Men de här fiskarna är på väg till små dammar som finns här och där i stan. Man löser entré, sätter sig på en pall vid dammen och börjar dra upp den fisk som undan för undan slängs i av stationens flinka och allt snabbare stormrika personal. Då fiskaren lämnar dammområdet betalar han för fisken.

Det är lika mycket sport som att skjuta hönsen i hönsgården med luftvärnskanon.

Alla japaner är inte sporttokiga, men tokiga på något annat sätt måste de miljontals ändå vara som varje dag och timme sitter i de rökfyllda pachinkohallarna.

Enligt officiell statistik går tio miljoner japaner varje dag direkt från jobbet till pachinkohallen. Man öppnar dörren och tror man hamnat i någon gammaldags fabriksanläggning, det är ett oerhört slammer, dån och oväsen. Där i långa rader, tätt intill varandra, sida vid sida, sitter dödstysta, koncentrerade, allvarliga, huvudsakligen manliga japaner, spelande detta spel som väl närmast ser ut som stora fortunaspel ställda på kant. Ni kanske vet sådana där spel som fanns förr, ovala upptill som ett kyrkfönster, en skiva med små gropar, vid groparna stod siffror 100, 500 etc., varje grop var avskärmad med små spikar. Man petade in en stålkula längs en ränna, kulan flög ut på plan och i bästa fall fastnade den i 1000-poängs gropen.

Här flyger kulorna ut som skjutna med kulsprutor, det rasslar i apparaterna, det klirrar och plingar.

Den som vinner många kulor kan få dem inlösta i kaffeburkar eller hårtorkar. Det finns många japaner som lever på att spela i pachinkohallar och sen sälja sina vinster.

Enligt statsministerns kansli, som regelbundet offenliggör intressant statistik, skulle pachinkospelandet vara japanens vanligaste fritidssysselsättning.

Ungdomarna då? Inte går de väl med på detta? Nej, de gör egna saker. Går på disco t.ex. Där går det till så här: alla pojkar står uppställda i discotekets ena ända, flickorna i den andra, musiken kör igång och alla dansar där de står. Mycket bra metod för den som är blyg och inte vågar dansa med någon speciell flicka.

De här ungdomarna gör som alla andra japaner, de har kul tillsammans, alla på en gång.

De kan också revoltera. Alla på en gång, under ordnade, korrekta former.

Det sker varje söndag i stadsdelen Harajuku. Där kan man vid lunchtiden se 1 000–3 000 unga exakta kopior av Elvis Presley och 50-tals Doris Days med stärkta underkjolar, små tonårsflickor i höga klackar. De dansar alla hårdrock till musik ur apparater de själva haft med sig, gigantiska bärbara discotek. Det är ett dån och ett larm vill jag lova.

De flesta av ungdomarna är normalt korrekt klädda i skoluniformer, hårt hållna av far och mor. De kommer hit i gryningen på söndagen, klär om sig i buskarna eller på toaletterna i närheten, nyflottar håret, skruvar upp förstärkarna och plötsligt står de där som instant-Presleys.

Då dagen är slut klär de alla om igen och går hem ordentligt.

Det är ett slags endagsrevolt och protest, en revolt så att säga i skyddat område under korrekta former.

Nästa dag är allt tillbaka vid det vanliga igen. Det är full fart på business i kontor och affärer, hårdplugg i skolorna som vanligt. Ännu en vanlig dag i Japan, kanske den sista innan den stora katastrofen.

10. Ut i naturen!

En morgon konstaterade vi att nu måste vi ut ur Tokyo, nu måste vi se lite av naturen, göra en utfärd.

Ungarna jublade, smörgåsar breddes, filtar togs fram, en utrustning packades som skulle täcka alla eventualiteter för en storbarnsfamilj på picknick mot okända horisonter. Solen sken från en molnfri himmel. Det var söndag.

Med fullpackad bil, sjungande av förväntan och upptäckarlust, satte vi oss i fartvidundret som skulle flyga oss till närmaste expressväg, mot naturen! Där blev det tvärstopp. Säkert bara något tillfälligt där borta, trodde vi, skruvade på radion, stämningen var på toppen.

Tio minuter senare märktes en viss otålighet i barnaskaran. Slag började utväxlas. Ett och annat icke alltför vänligt omdöme om den närmaste grannens utseende eller beteende kunde höras.

Framför oss stod då några tusen söndagsfina familjebilar. Bakom oss en ännu längre kö. Vi gled sakta, sakta fram. En halvtimme senare hade vi faktiskt passerat kilometerstrecket. Se där, det var i alla fall någonting positivt, försökte jag. Ytterligare tjugo minuter senare hade situationen förändrats markant. Inne i bilen. Där utanför var allt som vanligt. Sakta sakta glid framåt, solsken från en klarblå himmel. Ingen chans att åka någon annanstans än sakta framåt. Expressvägarna går sådär 20 meter ovanför markytan, man kör som i en ränna av stål, ingen väg åt sidan, ingen möjlighet att vända.

Inne i bilen lät det nu som i en fullpackad livbåt övergiven på havet.

Passagerarna var hungriga. Uttröttade. Törstiga. Allt hopp var ute. Några hade försjunkit i tyst kontemplation. Andra, de mera utåtriktade, aktiva typerna, försökte slåss för sin integritet och lebensraum, de vägrade att ge upp.

Då vi varit på väg på detta sätt i ca tre timmar och faktiskt avverkat sju kilometer hade besättningens krav på mat och dryck blivit så starkt att matsäcken togs fram.

Kaffetermosen öppnades, aah! Smörgåspaket distribuerades. Mums! Stämningen steg. Ungarna började vinka till nödställda i bilarna bredvid. De vinkade med smörgåsarna och drickorna.

Ungarna i de andra bilarna stirrade med uppspärrade ögon. Vi såg hur deras munnar öppnades, vi såg hur deras små fingrar pekade mot oss. Lyckligtvis hörde vi inte de samtal som fördes. Föräldrar med spända anletsdrag pratade snabbt. Munnar drogs till smala streck. Ungar argumenterade med ökad mimik, ivrigare gester, ett och annat argument liksom dunkades in i föräldrar med knutna nävar. Till slut såg vi hur matpaket togs fram.

Ansikten sken upp.

Så småningom spreds friden i bilarna bakom och framför oss. Barn och föräldrar satt och åt, sakta glida matsäcksfyllda fordon genom den vackra sommardagen. Under oss låg Kawasakis obrutna horisont av fabriker, skorstenar, staket, upplag, raffinaderier, långt därborta, vid vägens slut, skulle naturen ligga, vi visste det, vi hade i alla fall sett bilder på den i böckerna.

Så småningom kom vi ut på något som i Sverige

skulle kallas motorväg, lite större och bättre landsväg. Men vi var inte ensamma nu heller. I dubbla filer åkte vi liksom i ett gigantiskt begravningståg sakta sakta framåt. Nu kom nästa kris.

Kissnödiga.

Den som varit förare av ett fordon fullpackat med kissnödiga barn, den vet att inte ens James Bond i prövningens stund är utsatt för samma press och krav på snabba handlingar, inte ens James Bond kan klara detta en längre stund.

Bildörr öppnas, ungar rusar ut. Sakta fortsätter kön glida framåt. Ungarna gör vad som ska göras. Bilen glider sakta framåt, dörrarna är öppna. Och liksom indianer på krigsstigen som kastar sig över det flyende expresståget kastar sig ungarna tillbaka in i den snigelåkande Volvon. Alla jublar.

Stämningen lättar. Och då, faktiskt, se där! Vi har varit på väg i bara sju timmar och redan nått målet: Naturen! Vi har avverkat våra 40 kilometer.

Det är sent på eftermiddagen och turistorten är typiskt nog inte tom precis. Några hundra tusen andra förhoppningsfulla har hunnit före oss.

Men de flesta av dem var på väg tillbaka mot Tokyo. Då gjorde personalen i bilen uppror, myteri. De vägrade allt vidare samarbete. Med den snabba analytiska förmåga man ju har kunde man snabbt indela gruppens krav i några huvudrubriker: Äta, sova, dricka, bada i varma källor.

Vi beslöt övernatta.

Eftersom det var en tidig söndag kväll var det inte svårt att finna rum i härbärget, vi tog in på ett japanskt värdshus.

Vi fördes in till ett stort rum, där skulle vi alla sova.

Ett avlångt, mycket lågt bord stod mitt på golvet. Kuddar låg runt omkring. Förutom TV:n fanns inga andra möbler i rummet. Inga sängar.

En expedition sändes iväg för att leta efter hotellets matsal. Den återkom med negativt besked. Fanns ingen matsal! En annan expedition rapporterade att det heller inte fanns något badrum i eller nära vårt rum.

Förtvivlan och desperation syntes åter i de kära anhörigas ansikten.

I samma ögonblick knackade det på dörren. In kom en vänlig dam i kimono, hon hade en trave prydligt hopvikta morgonrockar av bomullstyg i famnen. Rockarna som hade breda tygbälten distribuerades. Vi skulle klä av oss. Menade damen.

Där stod vi, likt en skara fångar i våra exakt likadana rockar, beredda att utan hopp föras dit starka krafter styrde oss.

Vi gick ut i korridoren och såg andra hotellgäster iförda likadana rockar. Vi och alla andra tassade fram i hotellets minimala, bruna plasttofflor, som i bästa fall täckte hålfoten.

Familjens kvinnor fördes åt ett håll, männen åt ett annat. Vi kom till rum fyllda av ånga. Vi skulle bada. Men som alltid och överallt i Japan: vi var inte ensamma nu heller.

Badandet tillgår så att man sätter sig helnaken på en liten plastpall, tar en liten plastbunke, får en tvål och sätter igång att tvätta sig på golvet framför en rad med kranar. Man tvättar sig ordentligt.

Sen kryper man ner i badkaret. Som på hotellet är en liten ånghet damm, fylld till brädden. Ren och sköljd låter man sig sakta sänkas ner i det heta vattnet. Man blir som en kräfta. Man njuter. De flesta japaner tar nu den lilla handduken de hade med sig och använde som tvättlapp, den lägger de på huvudet. Ångan stiger upp ur det heta vattnet. Stönanden av njutning och välbehag hörs i dimman. Hotellets medgäster dyker upp i karet, kokta medkräftor med små handdukar på huvudena och svetten forsande i ansiktena.

Till slut har man fått nog, stiger upp och tar en sval dusch. De flesta torkar sig med den lilla tvättlappen, lindar in sig i den tilldelade badrocken och tofflar iväg tillbaka till rummet.

På japanska värdshus är det nämligen så att alla de utrymmen vi normalt har som privata – de är gemensamma, och då vi tror att vi ska vara tillsammans, då är man privat.

För nu ska det bli middag och den äts på rummen. Personal kommer in och dukar bordet med en myriad skålar och fat. Vi avnjuter en delikat måltid. En behaglig trötthet sprider sig i kroppen.

De yngsta börjar gnida sig i ögonen och varandra med resterna i matskålarna. Behovet av sängar infinner sig.

Personalen dyker upp. Bordet dukas av i ett nafs. Bordet flyttas bort. Skjutdörrar öppnas och några minuter senare har hela golvet i rummet täckts med mjuka madrasser, skönt bäddade sängar med vita lakan och mjuka täcken.

Det doftar gott från sävmattorna som madrasserna ligger på. Ett svagt ljus kommer in genom papperet i skjutdörren som dragits för fönstren.

Efter en stund med lagom doser fniss från resedeltagarna och häftiga utbrott från gruppens ordningsmän har sällskapet insomnat. Allt är tyst. I varje rum på hotellet är golvet fyllt av sovande människor. Så sover de flesta i

71

Japan i denna dag, så har de sovit i hundratals år.

På morgonen går reveljen. Det känns så. Personalen knackar på och rusar in. Madrasserna rullas bort. Fram med bordet. Frukosten dukas upp och de som absolut vill tvätta sig, de får ta sina tvättlappsstora handdukar och ställa sig vid kranarna borta i tvärkorridoren, de som alla andra som redan står där i kö. Män som kvinnor. Liksom på en kasern står vi där, borstar tänderna och spottar i den gemensamma avloppsrännan.

Detta är inget billigt vandrarhem. Så här är det på de allra flesta japanska värdshus som inte är anpassade för utländska turister.

Martin Luther skulle gilla detta liv. Det är härdande. Mest på vintern förstås, då det är ca 5 grader varmt i korridorerna och vattnet i rören är iskallt.

Då kan man bara citera det gamla japanska ordspråket som säger att den som tar varma bad på morgonen, den blir aldrig förmögen och framgångsrik.

En timme senare var vi hemma i Tokyo. Söndagsrushen var över.

11. Kärlek på japanska

Dörrarna öppnas till tunnelbanevagnen. In kommer en mycket trött mamma, en sovande unge hänger i en sele på ryggen, modern har en tung kasse i varje hand, bredvid henne går en liten, ca femårig knubbig pojke.

Vagnen är full, men plötsligt blir en plats ledig. Blixtsnabbt markerar modern den för sig, tar tag i pojken och sätter honom där. Där sitter han som en prins. Där står modern packad som en karavankamel.

Sånt är livet i Japan, barnens paradis. I synnerhet pojkarnas paradis. Japanska barn uppfostras totalt annorlunda än våra. Eller snarare de "uppfostras" inte alls. Verkar det. Småpojkarna är hemmens härskare, de får göra vad de vill, om det bara är möjligt får de också vad de vill.

De vuxna blir sällan irriterade, aldrig har jag sett en japansk förälder ilskna till och vråla åt sina barn eller ens ta i dem lite hårdare.

Barnet växer upp som hemmets medelpunkt, husets diktator. Så löper åren snabbt undan – och plötsligt en dag, så där i sex–sjuårsåldern ändras allt.

Femåringarna uppmuntras alltså att vara djärva gåpåare, aggressiv framåtanda applåderas, men för sjuåringarna är det plötsligt tvärtom – nu ska de bli självuppoffrande. Förr fick de vara hundraprocentigt egoistiska, deras minsta önskan uppfylldes, nu tvingas de helt finna sig i gruppens vilja, ligga lågt, aldrig höja rösten, aldrig framhäva sig själva.

73

Förr var livet fyllt av lek och skoj, nu har allvaret börjat: skolan. Och den japanska skolan är världens hårdaste. För många började allvaret långt tidigare, det gällde nämligen att komma in vid "rätt" lekskola, för de "rätta" lekskolorna leder automatiskt till de "rätta" småskolorna och sen vidare upp hela vägen till de "rätta", dvs. de få universitet vars elever blir antagna för de finaste jobben.

Vägen dit är mycket lång och kantad av otaliga timmars hård, seg kamp. Och det är mödrarna som leder denna kamp. Mödrarna går hemma och har ofta ingenting annat att göra än att se till att sonen placerar sig i den hårda skolkonkurrensen.

Barnen har läxor redan i lekskolan. Sju–åttaåringarna har minst en timmes läxläsning varje dag, sex dagar i veckan.

Skolterminerna är späckade med svåra prov och regelbundet återkommande tester. Allt arbete, all koncentration läggs på att klara av den test som komma skall. Över 70 procent av grundskolans elever går i kvällsskolor, speciella skolor efter den riktiga skolan, skolor som antingen ska förbättra elevernas kunskaper och ge dem högre betyg, eller skolor som bara siktar på nästa test. Det finns skolor för dem som ska pröva in vid de rätta lekskolorna också.

Om barnet klarat sig hela vägen och verkligen blir anställd vid det rätta företaget börjar en ny, livslång kamp. Så det är inte underligt att japanerna ser tillbaka på sin tidiga barndom med suckan och längtan. Och det förklarar också varför de låter barnen vara barn och hemmens härskare så länge det går.

Den tyngsta lotten, som i de flesta länder och system, bärs naturligtvis av kvinnan.

Den överväldigande majoriteten av Japans flickor växer upp med ett enda mål, att bli så bra gifta som möjligt för att sedan stanna hemma och ta hand om barn och familj.

Kvinnor som är kvar på sina arbetsplatser då de fyllt 27 anses som misslyckade, de har blivit över.

I våra dagar då hemmen moderniserats tekniskt och de flesta husmödrar städat sina små dockhus och klarat av familjens tvätt på någon timme, finns det sedan inte mycket mer att göra än att vänta på att man och barn ska komma hem igen.

Nu för tiden är också de flesta kvinnor välutbildade, medvetna om att det finns ett liv bortom ensamheten vid diskbaljan.

Majoriteten av dagens gifta par i Japan har sammanförts av en äktenskapsförmedlare. Ungdomar som blir kära i varandra och gifter sig, som i västerlandet, hör fortfarande till undantagen. Kärleken, om den alls förekommer, ska komma efter bröllopet.

De flesta japaner, i alla fall japanska män, menar att äktenskap och kärlek inte går ihop. Kärlek, i synnerhet i betydelsen passion och sex och heta känslor, går absolut inte ihop med äktenskapet.

Låt oss följa ett ungt nygift par.

Vi sitter i en tågkupé en varm sommardag. In kommer ett ungt brudpar, till synes skinande av lycka. Deras vänner och anhöriga står på perrongen, vinkar och bugar. De unga tu vinkar och bugar tillbaka, och backar in i vår vagn. Så snart tåget kommit igång sjunker de ner på sin bänk, leendena slocknar. De sitter där, de tittar rakt fram, de nuddar inte ens vid varandra, de säger ingenting.

Brudgummen, som innan tåget satte igång såg till att

75

en stor påse med frukt, snacks, läsk och tidningar in-köptes, tar nu av sig skorna, slipsen och kavajen. Han räcker plagg efter plagg till sin unga hustru, som utan ord eller min tar persedlarna, viker prydligt ihop dem och lägger dem på hatthyllan. Allt utom skorna förstås. Allt sker under tystnad.

Han tar nu fram en miniradio med hörlurar. Dagens baseballmatcher. Det behövs mycket mer än ens eget bröllop för att en japansk man skulle avstå från dagens matcher. Han pluggar in hörlurarna, lutar sig tillbaka, blundar. Det prasslar från påsen. Han hittar lite jord-nötter, bjuder sin hustru, hon tar tacksamt emot. Men så slocknar hans intresse för henne igen, han försjunker i idrottens värld.

Djupt koncentrerad fiskar han upp en apelsin ur på-sen, räcker den till hustrun, som tar emot den med ett leende. Hon skalar den metodiskt och skickligt, ger klyftorna till sin herre och man.

Nu tycks matchen vara slut. Han stänger av radion, tar sin favorittidning och läser eftertänksamt en stund tills han, uttröttad av alla dagens festligheter och resans strapatser, faller i djup sömn.

Kvar sitter hustrun, hon tittar ut, blicken är fäst vid en punkt bortom horisonten.

Så är de framme vid målet för smekmånaden. Man-nen stiger upp, för bruden ska hjälpa honom på med kavajen. Han börjar gå mot utgången, efter kommer bruden sviktande under tyngden av bagaget.

Som ni förstår var bruden inte särskilt lycklig – och enligt den officiella statistiken kommer det att bli ännu sämre. Med lyckan.

En färsk undersökning avslöjade att 60 procent av nygifta japanska män ser sig ganska snart efter bröllopet om efter en riktig kärlekspartner. Äktenskapet är för barnens skull och för att familjenamnet ska leva vidare. Passionerna blommar på andra ställen.

Traditionellt anser en japansk man att visad ömhet är en svaghet. En man som utåt skulle visa att han älskar sin hustru är en mycket svag man, ja inte mycket till man över huvud taget.

Ett gift japanskt par talar inte om känslor, inte ens när de är ensamma med varandra. I de allra flesta medelålders äktenskap har hustrun knappast hört maken en enda gång säga: Jag älskar dig.

Det bästa en japansk kvinna hoppas på är att mannen hon gift sig med ska vara *yasashi,* dvs. mild, snäll, lätt att göra belåten, så att han inte är direkt och öppet ovänlig och brutal.

Det japanska språket avslöjar attityden mellan makarna.

En man i ett traditionellt förhållande tilltalar sällan hustrun med hennes riktiga förnamn när någon utomstående hör på. Hela kulturen och språkbruket kräver att en japan alltid inför främlingar nedvärderar sig själv och det han äger.

När någon hör på ropar han på *kanaj* eller *gussi,* som ordagrant betyder "min dumma hustru". När en man talar om en annans hustru säger han *okusan,* "hon som är därinne i hörnet" – för där står ju de flesta japanska hustrur, om de inte ligger på knä, energiskt bugande åt mannens håll till.

När mannen talar om sin mor kallar han henne för *ofukuro* – "ärade gamla säck".

Det finns ett enda undantag då man inte ska tala nedsättande om det man har – det är naturligtvis då kvinnan ska tala om sin man. Då säger hon *shujin,* som ordagrant översatt betyder: Min herre, min mästare.

Nu varierar naturligtvis relationerna mellan män och kvinnor i dagens Japan oerhört. Ungdomar i Tokyo beter sig på ett helt annat sätt än medelålders par på landsbygden. Det är självklart. Men vår typ av relation mellan könen, redan i tidiga tonår, förekommer praktiskt taget inte alls i Japan. Undersökningar har visat att de flesta japanska ungdomar är okyssta då de börjar vid universitetet. Där först börjar pojkar och flickor kila stadigt.

Visst kan man se enstaka unga par hålla i varandra, till och med kyssa varandra. Men då måste man gå in i de största parkerna sent på kvällen.

Annars tar japanska kärlekspar aldrig i varandra offentligt. De må vara hur förälskade som helst.

För naturligtvis förälskar sig också japanerna. Japansk litteratur, film och musik är full av kärlek och passion. Men oftast nästan bara olycklig kärlek. Tragedier. För de flesta japaner för kärleken med nödvändighet med sig lidande och elände.

Hur kan det bli annat än lidande om en gift kvinna förälskar sig häftigt i en gift man?

Eller då en gift man på allvar älskar sin älskarinna? Det blir tårar, smärta och ofta självmord. Många av de japanska självmorden har olycklig kärlek som bakgrund. Ofta kan de unga tu hoppa hand i hand från något hustak, eller de gasar ihjäl sig i bilen.

Det är ganska lätt att skiljas i Japan, men hustrun får nästan aldrig vårdnaden om barnen, hon har ytterst svårt att försörja sig och hennes möjligheter att få underhåll eller annan hjälp är minimala. Alltså har Japan det lägsta antalet skilsmässor i den industrialiserade världen.

De japanska hemmen är fulla av djupt olyckliga kvinnor. Majoriteten av männen, de affärs- och kontorsanställda, kommer hem sent på kvällen. Den mycket detaljerade japanska statistiken har gjort undersökningar även inom detta område och det visar sig att nära hälften av männen sällan är hemma före nio alla kvällar i veckan. En man i arbetsledande ställning är undantagsvis hemma före nio en enda kväll i veckan.

De arbetar över och efter arbetstiden går männen direkt till någon bar eller restaurang, oftast tillsammans med sina arbetskamrater.

En man som arbetar så hårt och sällan kommer hem, han är en förebild, en symbol för den framgångsrike, ambitiöse mannen. Skulle maken vara hemma ordentligt varje kväll kanske grannfruarna, i synnerhet grannfruar som bor i företagets lägenheter, blir övertygade om att den för oss skötsamme maken i själva verket är mycket misslyckad på sin arbetsplats, han saknar ambition och har få vänner.

Så maken trillar in genom dörren sent, lägenheterna är små, barnen har då oftast gått och lagt sig. De ligger på japanskt vis på madrasser på golvet. Maken ställer ner sin portfölj och kommenderar fram badet.

Han tar sig ett traditionellt hett bad i ensamhet. Därefter ska hustrun ha ställt fram något att äta. Efter sista tuggan kan han antingen se på något av "männens program" på TV, eller vända sig om och somna. Oftast det senare alternativet.

Tidigt i gryningen är hustrun uppe, kokar morgonris, gör i ordning frukosten, barn och man försvinner och där sitter hon, ensam.

Under de senaste åren har de stora japanska spritproducenterna upptäckt denna ekonomiskt starka, hittills obearbetade marknad.

Varje kväll öser de kommersiella TV-kanalerna på med reklam riktad enbart till ensamma kvinnor.

Man kan se en kvinna i yngre medelåldern sitta i sin ensamhet, hon smeker en mjuk katt, hon tittar drömmande ut genom ett fönster. Där ute faller mjuk snö, hon häller upp ett nytt glas vodka, suckar lite och ler lyckligt.

Eller hon kan rusa ut i ösregn sent på kvällen, hon springer till sakeaffären, som kanske just ska stänga. Lycklig hinner hon köpa en ny flaska, glad och trallande i regnet, svängande sitt vackra japanska paraply, nästan tappar hon flaskan, innan hon försvinner.

Budskapet är klart. Du som är ensam – ta dig ett järn. Det mildrar ensamheten.

Den här reklamen utgår ifrån att kvinnan är ensam och att hon ska dricka ensam. Det vore otänkbart att hon skulle gå ut för att söka sällskap eller att hon skulle bjuda in någon på ett glas.

Det återstår nu bara att se hur många procent av dessa alltid ensamma och olyckliga hemmafruar som blir alkoholister. Den alltid pålitliga japanska statistiken kommer säkert att meddela detta inom något år.

12. Konsten att göra affärer

Många turister på väg till Japan reser via Singapore och Hongkong. De har mött de mycket aktiva, framfusiga kinesiska försäljarna i shoppingarkaderna, kanske också de ännu mer påstridiga indiska affärsmännen och butiksägarna som sällan låter en enda kund passera skyltfönstret utan att affärsinnehavaren försökt sälja någonting.

Med tanke på hur bra Japan lyckats i affärer i världen är turisten nu väl förberedd. Han är också tränad och luttrad och tänker inte låta sig imponeras av någonting.

Han kanske går in i en japansk affär. Ingenting händer. Ingen rusar fram. I vissa indiska affärer, exempelvis i Hongkong, behöver kunden bara titta på ett föremål på en hylla så vips ligger det på disken.

Kunden i Tokyo tittar och tittar, ingenting tycks hända.

Efter en stund och efter många hostningar och harklingar kanske kunden frågar vad en sak kostar. Affärsinnehavaren svarar inte. Han vinkar avvärjande med handen, ler ursäktande, nej, nej – inte till salu. Kunden pekar på en vas eller något annat i affären, som kanske säljer japanska konsthantverksprodukter. Ingenting visar sig vara till salu, trots att prislappar kan finnas utsatta.

Förbryllad, kanske också lite sårad och förolämpad går kunden ut, skakande på huvudet.

Kunden beslutar sig kanske för att det hela är ett

språkproblem, affärsinnehavaren talade bara japanska. Han kanske var generad över att en utlänning kom in i butiken.

Det märkliga är att exakt samma sak kunde ha hänt en japansk kund. Om han var lika okänd.

Enligt japanskt sätt att uppfatta saker och ting är det alltid den som tar initiativet och ber att få köpa någonting som är i underläge.

Om jag har en gammal Volvo värd 10 000 kr och någon tokig bekant kommer in och ber att få köpa den, i själva verket befriar mig från vraket för 10 000 kronor, är det ändå jag som är i överläge och han som är i underläge, och jag som ser ner på honom. Han ber att få något som jag har.

Självklart finns det undantag, självklart finns det japaner som säljer lika aggressivt och effektivt som vilken indier som helst, men efter två år i Japan har jag bara mött två expediter som aktivt försökt sälja föremål jag inte bett att få köpa.

Som trög svensk föredrar man i allmänhet den lugnare linjen, en mindre aggressiv försäljningsteknik, men den japanska linjen är ytterst intressant, i synnerhet som det ju visat sig att en nation kan komma långt i alla fall – om man har något att sälja som världen vill ha.

Den framgångsrike försäljaren, han som skulle få medalj och diplom i USA och Europa, han skulle vara en total katastrof i Japan.

Om man över huvud taget ska kunna göra affärer i Japan, måste man bli introducerad av någon, och den som introducerar ska vara av ungefär samma rang och ställning som den man vänder sig till.

Att bara ringa upp och inleda förhandlingar rakt på sak anses ytterst primitivt och oartigt i Japan och skulle bara leda till förvirring. Man måste helst ha en mellanhand.

Kontakterna måste skötas på personlig nivå, ansikte mot ansikte, och helst mellan personer som varit ute minst en gång tillsammans på restaurang eller bar.

Den yttre harmonin får aldrig störas. Det är alltid bättre att harmonin bevaras, till och med på bekostnad av profiten. Om man måste ta upp någonting obehagligt, oberoende av vems felet är, ska man helst göra detta genom mellanhanden. *Måste* man ta upp otrevligheterna i fråga, gör man det aldrig högljutt och i sällskap av obehöriga, personer som inte har med just denna fråga eller denna affär att göra.

Det är katastrof för affärerna om du tvingar en japan att erkänna att han har haft fel på en punkt, eller att han inte behärskar en del av det ni talar om. Själva formen för hur affärerna görs är lika viktig om inte viktigare än själva slutresultatet.

En västerlänning är kanske otålig och kräver besked, exakta datum, exakta priser – han får kanske bara ytterst svävande svar och ju mer han pressar desto suddigare blir svaren. Det går i de allra flesta fall aldrig att pressa en japan som valt denna linje, det är bara att lyssna på honom, för om du tvingar fram svar har du bara vänt honom och hans företag emot dig.

För den japanske försäljaren är det alltid viktigare att hans företag vidhåller sina goda relationer till andra företag och personer än att just han kanske lyckas prestera något otroligt. Vi uppmuntrar och beundrar individuella prestationer och solonummer, den ensamme framfusige affärsmannen som gör stora klipp är väl nutidens hjälte i Sverige. I Japan gör försäljaren helst ingenting som företaget inte gjort förut och han gör helt säkert ingenting utan att först ha konsulterat sina kolleger.

Självklart finns det undantag från de här reglerna och självklart kan en japansk affärsman eller försäljare plötsligt göra precis tvärtom, men generellt sett gör man affärer så här i Japan.

I väst, i synnerhet i USA, är affärer, ja de flesta förbindelser mellan människor, omöjliga utan advokater. Kontrakt. Det skrivna ordet.

I Japan tar man inte så allvarligt på kontrakten. Man litar på varandra. Ibland till och med helt utan kontrakt. USA har femton gånger fler advokater än Japan, i stället har Japan femton gånger fler ingenjörer än USA. Resultatet kan alla se.

Stämningar och rättegångar hör till absoluta undantag i Japan. Man gör upp i godo långt från domstolslokalerna.

Vill du ha fler tips för affärer i Japan? I en amerikansk broschyr fanns de här råden:

● Försök aldrig göra affärer per telefon eller brev, i synnerhet inte i inledningsskedet.

● Om du möter en japansk affärsbekant utomlands, i ditt eget hemland t.ex., hjälp honom på alla sätt, bjud på krog, hjälp honom med kontakter, han kommer att betala mångfalt igen då du är i Japan.

● Vänta dig inga viktiga resultat vid första mötet, kom ihåg att japanerna helt säkert kommer att vara fler i sin delegation än du i din. Förklaringarna är många, dels vill han på detta sätt vara artig och visa hur viktig han betraktar din delegation, dels ger storleken honom självsäkerhet. Dessutom kräver det japanska administrationssystemet fler personer för att fatta beslut och, inte minst, japanerna gillar att göra saker och ting i grupp.

● Ta inte med frun till middagen eller representationen på kvällen, även om den japanske värden ber dig göra det. Han vill bara vara artig. Ingen av japanerna kommer att ha frun med. (Oberoende av hur jämställda och vidsynta vi är i Sverige förblir Japan Japan och här skulle den medhavda frun göra de japanska affärsmännen besvärade.)

● Ha alltid med dig visitkort där det klart framgår vilken position du har och vad företaget gör.

● Då du får ett anbud och det är totalt oacceptabelt, gapskratta inte, skäll inte, försök se ut som om du först allvarligt överväger anbudet, men låt efter några bekymrade pannrynkningar förstå att det hela nog är lite svårt just nu på grund av vilket skäl du nu kan komma på – ett rakt och hårt avslag är ytterst oartigt och vulgärt.

13. Tom orkester – full publik

Helgdagskväll i Folkhemmet brukar leda till sång och glam. Men i 99 procent av alla svenska glammande sällskap uppstår omedelbart pinsamt hummande så snart man lämnar repertoaren Helan går, Ja må han leva och möjligtvis Imse vimse spindel. Ingen kommer ihåg texterna, alla gnolar med och klämmer in ett och annat SJÖÖÖMAN... I HAMN... Eftersom svenskarna är välorganiserade har de flesta föreningar och större sällskap betrodda personer, eller frivilliga med ansvarskänsla, som omedelbart delar ut färdigutskrivna textblad. Sålunda beväpnade, sångblad i ena handen, grogg i den andra, fortsätter de flesta svenska tjo- och tjim-kvällar.

Japanerna som löst de flesta problem har givetvis en lösning på detta också. Deras uppfinning heter *karaoke,* det betyder ordagrant "tom orkester". Den tomma orkestern är en låda, ungefär som en kompakt stereo med tillhörande mikrofon. En låda med kassetter och en pärm hör till utrustningen.

Den sångarsugne tar nu fram kassettlådan, väljer sin favoritlåt, t.ex. "Kostervals", och slår upp samma sång i pärmen. Han trycker in kassetten i lådan, ut strömmar ljuv musik, ackompanjemanget till Kostervals, i pärmen finns texten med stor stil, bladen är plastbehandlade, specialpreparerade att klara vilken kräftskiva som helst med stor stänkrisk.

Så klämmer sångaren i, uppfylld av den "riktiga"

musiken och med den tydliga texten sjunger han nu flytande och ljudligt som vilken skärgårdens Frank Sinatra som helst, fast på japanska.

De här lådorna har blivit enormt populära.

Det finns numera flera tusen barer över hela Japan som har en karaokeutrustning som huvudattraktion. Där kan vem som helst av gästerna när som helst ställa sig upp och bli sin egen Julio Iglesias. Alla applåderar entusiastiskt, det är alltid kö till mikrofonen. Jag kan försäkra att många av sångarnas böl är av sådan art att hade gästen börjat sjunga på en svensk krog, skulle konserten ha avbrutits mycket abrupt av någon okänslig body-builder. Här applåderar man.

Många barer har ljudmätare som registrerar kvällens kraftigaste applåd. Vinnaren får notan betald.

Det kommer hela klungor av sångare, ofta killarna från jobbet, på väg hem, men först en omgång med tomma orkestern. Man kan också se barer dit äldre medelålders par går tillsammans. Där står de sen på scenen och med darrande stämmor sjunger de sin ungdoms kärlekssånger. Hustrun kan stå där, nypermanentad, med handväskan tryckt mot kroppen, men med blicken och leendet långt borta i mitten av 60-talet.

Hit kommer de stressade, kuschade och förödmjukade lägre tjänstemännen, alla *salarymen* som det heter på japanska, för att få utlopp för sin frustrering. Alla får sin chans.

De flesta av sångarna är faktiskt vad vi i Sverige skulle kalla dragna, på snusen, på kanelen, packade, plakata, på örat, ja ni förstår, påverkade. Men jag har aldrig sett något bråk eller slagsmål, aldrig hört någon i publiken som opponerat sig mot gäster som helst borde ha valt en annan hobby.

Det är på en sådan här bar, sent en kväll, som man klart och tydligt upplever hur lika svenskar och finnar egentligen är japanerna. Många av de japanska vanliga schlagerna och mest populära sångerna är fyllda av samma barrskogsomsusade vemod som nynnas och gnolas mellan ladorna och logarna inte minst i Finland.

Det ligger ett Dan Anderssonskt vemod i mycket av det som klingar ut ur den tomma orkestern.

Det enda som saknas är tangon.

Jag har en helt egen totalt ovetenskaplig förklaring till detta fenomen, till likheterna.

Titta på kartan! Japan ligger, i alla fall norra Japan, på samma breddgrad som norra USA, Kanada, Skandinavien, norra Ryssland – det är norr om vinzonen, djupt inne i brännvinsbältet. I hela denna del av världen, där vintrarna är kalla och där vin mer betraktas som luktvatten än som seriös dricka, där vintrarna är kalla och snön ligger djup på taken. Här kluckar det i brännvinspannorna, och porlar det i brännapparaterna. Här i timmerkojorna från Alaska till Härjedalen, från Karelen till norra Hokkaido suckas det i stugorna på vinternätterna och här har man eld, kött och brännvin till tröst. Därför blir det lätt så här.

Den sjungande tokyobo som fram emot kvällen i sin sång beskriver barndomens gröna ängar, han uttrycker ännu en upplevelse han har gemensam med så många storstadsbor i Sverige. Han är antagligen född långt borta på landet och inflyttad till Tokyo – och han vantrivs och han som alla andra bär den gröna drömmen med sig.

Fram emot stängningsdags är de flesta högröda i ansiktena. En japan som kastar i sig en grogg blir i allmänhet röd som en tomat. Efter två groggar skrattar hela sällskapet vansinnigt och efter tre brukar en av dem bli häftigt illamående. Inträffar detta är det ingen katastrof. Under skratt och glam leder man den olycklige hem, till närmaste tunnelbana eller taxi. Man tar hand om varandra.

Japan måste vara den drucknes paradis. En berusad förlåtes allting – han är ju full. Ingen tar illa upp. Överförfriskade som somnat på tunnelbanan brukar väckas försiktigt av personalen som hjälper resenären hem.

De flesta japaner lämnar aldrig stadiet röd som tomat, max två drinkar. Men om du som utlänning sitter på en bar och studerar livet omkring dig är det mycket troligt att det är ungefär nu, då tvådrinksgränsen har passerats, som folk kommer fram och vill tala med dig.

Det är som i Skandinavien. Man vill snacka. Men japanen som kommer fram till en utlänning vill framför allt öva sin engelska. Han har antagligen läst engelska i skolan i tio–femton år, han skriver säkert utmärkt engelska, men hans verbala framställningskonst är ytterst osäker, om man så får säga.

Efter fyra–fem försök till handskakning, dunk i ryggen och erbjudande om att bjuda dig på drinkar – kanske han fattar tag i dina kavajslag för att stå säkrare – fixerar han dig och sedan han bett om ursäkt i förväg är han klar att börja konversationen. Först kommer de vanligaste hälsningsorden och sedan oftast frågan: "How do you like Japan?" åtföljt av: "Have you been to Kyoto?" Sen brukar ordförrådet ta slut. Men det hela är väl menat och framfört med glada leenden, särskilt från den talträngdes kamrater.

Jag har aldrig sett ett enda slagsmål eller bråk på en bar eller restaurang i Japan. Då vi i Skandinavien i berusat tillstånd lätt faller in i ett slags cowboy-skogs-huggarmentalitet, en jävlar-här-kommer-jag-anda, tycks japanerna övergå i en våldsam fnissfylla. Det är faktiskt trevligare.

Anledningen till att man inte ser på den berusade med samma aggressioner, förebråelser och fördömanden som i Sverige beror naturligtvis på att man alltid sett på spriten på ett annat sätt i Japan.

Risvinet, saken, var en helig dryck. Japanernas gudar, de som grundade Japan, var våldsamma sakedrickare. De var ofta berusade och ingenstans i japansk mytologi förmanas någon eller ännu mindre straffas någon för detta.

Ännu i denna dag doneras miljontals liter sake i mycket påkostade och rymliga saketunnor till templen. Tunnorna ställs ut till allmänhetens beskådande, noggrant markerade såsom gåva från "herr och fru Suzuki". Tänk er själva om koret i kyrkan där hemma var fyllt av enorma sprittunnor och prosten på söndagen med allvarlig stämma meddelade församlingen: "Och från direktör Olle Andersson med maka har inkommit ett stycke tunna med 150 liter prima brännvin. Församlingen ber att få uttrycka sitt djupt kända tack."

Templen delar ut vinet till församlingen under någon av årets stora, och glada, religiösa högtider, då vem som helst kan komma och ta sig en bläcka.

För en japan finns det alltså ingenting omoraliskt i en flaska vin. Den stora toleransen mot dem som bär sig illa åt, den totala glömskans täcke som dras över allt som sades och gjordes i fyllan och villan, detta kan väl också förklaras med japanens önskan att aldrig tappa ansiktet själv och aldrig låta andra göra det.

Vi ignorerar pinsamheterna så har de aldrig inträffat.

Dagen efter är allt som vanligt igen. Alla är tillbaka på jobbet i tid. Ingen japan tar ledigt bara för att han hade så roligt kvällen innan.

14. Geishan – en missförstådd artist

Visst finns det geishor i Japan. Riktiga geishor. Men de är sällsynta och en vanlig turist på grupppresa till Tokyo har lika stor chans att bli serverad eller underhållen av en äkta geisha som att få skaka hand med kejsaren.

Det finns tusentals kvinnor på gatorna i Tokyo, i barer och restauranger som trippar fram i kimono. Men de är inga geishor. De kan vara alltifrån blyga familjeflickor som firar sin myndighetsdag till uppklädda servitriser på nattklubb.

Geishan, den äkta geishan, lever i största avskildhet, hon är en högt utbildad konstnär, en exklusiv artist som bara förekommer i de mest slutna och, måste man tillägga, mest förmögna sällskap. För en helkväll med geishaunderhållning kan kosta många tusen kronor per person.

Geishans urmödrar var artister som på 1100-talet reste runt mellan adelsmännens borgar och de rika jordägarnas hus, ibland uppträdde på större marknadsplatser. De var alltid klädda i vitt, hade långa vida ärmar, de sjöng, läste dikter om forntida hjältar och uppförde små pjäser om förfädernas äventyr. De hade hela repertoaren i huvudet och många av dem blev så berömda att deras namn fortfarande är kända.

Efter en lång period då geishorna ansågs mindre rumsrena fick de sin upprättelse under 1600-talet. De var välutbildade underhållare som skulle förströ kunderna hos *oiran* – en ytterst exklusiv prostituerad, ännu mer utsmyckad, utklädd och sminkad än geishan.

Eftersom det var oiran som stod för den kroppsliga underhållningen, fick geishan ansvara för den andliga. Hon sjöng och spelade och började dansa.

Med tiden sjönk oirans status, medan geishans steg till sin allra högsta nivå i slutet av 1800-talet, då kunde hon vara gift med statsministern och samhällets högsta ämbetsmän hade ofta geishor som älskarinnor.

Ända fram till andra världskriget hade geishorna oftast den här bakgrunden: dotter till fattig bonde som säljer sina barn, alternativt dotter till geisha eller frukten av två älskande ur den lägre nöjesvärlden, två som inte kunnat behålla sitt barn.

Vid fem–sex års ålder såldes hon till ett geishahus, som omedelbart började utbilda henne. Grundutbildningen kunde ta fem–tio år, ofta med några år i en skola i grannskapet eller med privatundervisning, bara så mycket att hon kunde läsa och skriva och ha ett visst hum om litteratur, historia och vad som sker i tiden, bara så mycket att hon med lätthet kunde konversera om i stort sett vad som helst, utan att gå på djupet i någon fråga. Tyngdpunkten lades på hennes artistiska utbildning. Hon skulle lära sig spela samisen, ett slags ukulele, och hon skulle kunna sjunga och dansa de traditionella japanska sångerna och danserna. Under den här perioden skulle hon skonas så mycket som möjligt från verkligheten, hon skulle bevaras så oskyldig och naiv som möjligt.

Vid 14 års ålder fick hon titeln *hangyoku* (halv juvel), den musikaliska utbildningen intensifierades tills hon fick kallas *o-shaku-san* (den som häller upp). Hon fick börja hjälpa till med gästerna, men fick ännu inte delta i samtalen eller underhållningen. Hon hällde upp vinet helt enkelt.

Då hon slutligen var klar för yrket som geisha (ordet betyder artist), då hon var fullt utbildad, antog hon ett artistnamn, t.ex. Lilla Källan eller Körsbärsblomman, och hennes karriär kunde börja. Men först skulle hennes jungfrudom tas och den såldes till högstbjudande.

I dag finns det också flickor som går igenom årslång, hård skolning för att få bli geisha. De är inte många, ca 20–30 per år, de kommer direkt från grundskolan. Den bästa geishautbildningen finns fortfarande i Kyoto, den gamla kejsarstaden.

Dit kommer alltså fortfarande tonåriga tjejer beredda att ge sig in i ett yrke som innebär att de måste sitta timtals framför spegeln varje dag, måla sig helvita som dockor i ansiktet, nacken och på händerna, klä sig i den tunga och obekväma kimonon och tillbringa kvällar och nätter med starkt överförfriskade japanska affärsmän som bjuder varandra på representation, bekostad av de allra största företagen.

Under utbildningen bor flickorna i geishahusen, som också står för deras mycket dyrbara kläder. En kimono kan kosta 10 000 kronor, flickornas klädkonto är ca 20 000 i månaden. Flickorna får några tusen kronor i månadslön och utbildningen varar 5–6 år. Detta gäller för dagens äkta geishor.

Det vitmålade ansiktet, kimonon som medvetet slätar ut kroppens alla naturliga former, de trippande stegen – allting ska göra kvinnan så docklik som möjligt. Det är det traditionella skönhetsidealet.

Visst är geishan ett slags prostituerad. Men avsikten med hennes konstnärskap är att hon med sin musik, dans, konversationskonst och annan underhållning ska vara så skicklig att mannen blir tillfredsställd. Yrkar han på mer intim underhållning är det litet av ett neder-lag för konstnären, geishan.

I dag är de äkta geishorna så få och exklusiva att de kan välja sina kunder. Det är bara de allra största japanska multinationella företagens högsta direktörer som med tyngden av sina enorma representationskon-ton kan pressa geishahusen till att leverera vad kunder-na begär.

Det finns många s.k. geishaparties för turister och för japanska gruppresor, men damerna som underhåller där har inte mycket gemensamt med historiens geisha. Det finns kanske ett tusental riktiga geishor kvar. I Tokyo kan turisten, om han har tur, se geishorna kom-ma åkande i rickshaws i Akasakadistriktet.

I Kyoto finns det fler. Vid sextiden på kvällen kom-mer geishorna och unga geishakandidater, *maikos,* trip-pande i de smala gränderna i stadsdelen Gion i cent-rum. De är nysminkade och fräscha på väg till sina arbetsplatser. Där i gränderna bor ett hundratal geishor och maikos. Före andra världskriget fanns det 900 gei-shahus i Gion. Varje vår uppför den mest kända geisha-skolan i Kyoto en föreställning med alla sina kandidater och flera av geishorna – det är det enda tillfället då turister kan se riktig geishakonst.

Så nästa gång du ser en japanska i kimono kan du vara säker på att hon INTE är geisha.

Kimonon är numera ungefär lika vanlig i Japan som äkta hembygdsdräkter hos oss. Unga japanskor äger knappast någon, alla medelålders har väl burit dräkten minst fyra gånger i livet. Då de blev myndiga, vid bröl-lop och vid en nyårsfest någon gång.

För det är vid nyåret man fortfarande ser de flesta kimonoklädda, tusentals på Tokyos gator. Att klä på sig

95

en kimono kan ta en timme och kräver hjälp. Under det som syns finns flera underkimono och flera lager bälten och band som ska knytas på rätt sätt.

Det hela är så komplicerat att flickorna också i dagens geishahus har speciella kimonopåklädare som springer runt varje eftermiddag och klär på damerna. Dagens unga flickor brukar bli påklädda hos damfrisören, om inte mamma eller mormor finns till hands.

Då allt sitter där det ska – och om flickan dessutom har den tunga peruken på huvudet – då kan hon inte göra mycket mer än stå blickstilla eller ligga orörlig på knä. Fast det var ännu värre förr. Under 1000-talet skulle kvinnan ha 12 (!) olika kimono på varandra för att riktigt tas på allvar.

Det som slutligen kröner hela kimonon, påsen på ryggen som alltså inte är en påse, än mindre en fallskärm, som någon frågade mig en gång, rosetten alltså, heter *obi*. Det kan vara ett rikt dekorerat och broderat tygstycke upp till tre meter långt som lindas runt magen och knyts på ryggen. Obin skiftar med årstiderna liksom knuten på ryggen varierar beroende på årstid och på kvinnans ålder och yrke.

Kimonons färg varierar med åldern, ju yngre flicka desto grannare och vackrare, så mognar det hela tills kvinnan blir gammal och bara kan använda några få, dämpade färger.

En turist kan gå och se på riktigt dyra och vackra kimono på de stora varuhusen, de har hela avdelningar bara för kimono.

15. Sumo – konsten att flytta fläskberg

Två nästan nakna män i kolossalformat står bredbenta, framåtlutade, med händerna på låren, och stirrar varandra i vitögat. Flera tusen åskådare ropar och skriker entusiastiskt, en liten man klädd i fantasifulla, färggranna kläder hoppar, springer runt de bägge köttmassorna, viftande med en liten spadliknande tingest i handen.

Jättarna lutar sig längre ner och närmare varandra och plötsligt brakar de ihop med en fruktansvärd smäll, svetten stänker, den ene glider snabbt åt sidan, den andre dånar i golvet med en duns. Publiken jublar, den lille mannen i färggranna kläder vrålar i falsett. Matchen tog 15 sekunder.

Vad är detta? Svar: Sumo, Japans kanske äldsta kejserliga sport.

Sumobrottning har förekommit i Japan i över tusen år, det är en sport lika unikt japansk som Fujiberget, och den har varit lika populär i många hundra år. I dag, precis som för tusen år sen, brukar kejsaren sitta i sin loge under de finaste turneringarnas mest spännande matcher.

Som kampsport är sumon inte lik något annat. Inget blod flödar, inga ben knäcks, ingen slås medvetslös, ingen bärs ut på bår. Sällan tar en match över en minut.

Brottarna protesterar aldrig mot domarnas beslut, den som förlorar ska inte visa någon rörelse och den som vinner ser bara outgrundlig ut.

Sporten skulle egentligen vara totalt omöjlig i våra dagar. Nu då idealet är en vältrimmad, proportionerlig kropp med vackra muskler, masar sig sumobrottarna fram mödosamt, flåsande, många ser ut som om de skulle få hjärtslag eller tuppa av om de så bara böjde sig fram för att öppna dörren.

Bilringarna och fläsksjoken fullkomligt hänger över midjan, magen, ryggen.

Men det är just det som är meningen. Exakt där ska nämligen människan ha sin tyngdpunkt, om man är brottare och ska undvika att bli omkullpetad. Våra badstränders body-builders, som går omkring med uppblåsta bröstkorgar och indragna magar, skulle troligtvis ramla omkull som en tom kägla om de fick ett oväntat slag. Sumobrottaren, liksom alla japanska kampsportare, har tyngdpunkten i magen.

OK, vi kan acceptera designen på brottarna. Men namnen? Hur kan man bli världsberömd i Japan som brottare och kämpe med namn som :"Västanhavet", "Plommondalen" eller "Körsbärsfältet"?

Det är svårt att föreställa sig något mer fjärran från körsbärsfält än den formlösa fläskmassa som står där i ringen iklädd ingenting annat än ett tygbälte om midjan och ett smalt snöre mellan skinkorna. Exponeringen av så mycket fläsk kan verka frånstötande för det otränade ögat.

Sumomatchen är alltså inte den fullständiga estetiska upplevelsen – men den kan vara en sinnenas totalupplevelse i alla fall.

Så här kan det gå till.

Ringen ligger på en rensopad upphöjning, beströdd med sand, en ring med ca 4 meters diameter, avgränsad med ett rep som ligger på marken. Brottarna kommer upp i ringen. De har samma obligatoriska frisyr, modell samuraj. Denna märklighet har en naturlig förklaring:

då brottarna kolliderar, och i synnerhet då de står på huvudet ur ringen, fungerar frisyren som en hjälm.

Nu utför de bägge en ritual som varit likadan i många hundra år.

De ställer sig bredbenta, lyfter först det ena, sedan det andra benet högt upp i luften. Detta för att visa att de inte gömmer några vapen.

De renar sig genom en symbolisk gurgling med vatten. De tar grabbnävar med salt och hivar upp det i luften över axeln – på det sättet jagas onda andar ur ringen. De stampar i marken för att dunka in eventuella kvarvarande andar i sanden. De gör några nigande rörelser för att smörja lederna, de torkar svetten med vita pappersservetter.

Nu är de beredda att vända sig mot sin motståndare. De kliver in i ringen, står bredbenta, böjer sig ner, nuddar golvet med knogarna, blicken är fäst på motståndaren, detta dels för att genom tankeöverföring få honom skräckslagen, dels för att mönstra honom – hur nervös verkar han? Precis då åskådarna tror att nu ska de börja, då reser sig den ene plötsligt upp, gör en knyck med kroppen, går tillbaka till sin "ringhörna" och torkar sig i ansiktet.

Den andre gör likadant. Ny start. Nya grabbnävar salt. Så här kan de hålla på i fyra minuter.

Domaren, som är klädd som en shintopräst i en rikt broderad kappa, med en prästmössa på huvudet, signalerar efter fyra minuter att nu måste matchen börja.

Kapporna har olika färger, beroende på domarnas ålder och rang. De börjar ofta sin träning som småpojkar, är födda i domarfamiljer, ungefär som skådespelarna i kabukiteatern ofta kommer ur familjer som spelat kabuki i många hundra år.

Domaren börjar plötsligt att skrika med hög falsett-röst, i rasande tempo sprutar obegripliga, även för japa-nerna obegripliga, ord och meningar ur honom – do-marna har övat in skriken och fått fram det spruckna röstläget efter många års träning, ofta ute vid kusten i storm, skrikande mot vinden.

Då domaren låter som om han ska kollapsa brukar brottarna ha krockat med ett brak och oftast har någon av dem redan vunnit. Den som nuddar golvet med någon annan kroppsdel än fötterna förlorar, liksom den som går över ringrepet.

Vanliga sätt att segra är att brottaren helt enkelt tar ett steg åt sidan och låter det andra ångande jättefläskberget dåna förbi. Ofta kan de halka på varandra och dråsa i marken. Ytterst sällan fortsätter matchen efter första kroc-ken. Då brukar det följa en stund av häftiga armviftningar.

Nu ser det ungefär ut som det gjorde i ungdomens dagar på skolgården, då två av skolans tjockaste killar hetsades ihop av sina dumma kamrater, ingen av tjocki-sarna ville egentligen slåss, men de stod där och viftade en stund under klasskamraternas jubel och visslingar.

Så är det nu i sumomatchen, publiken jublar, tjocki-sarna viftar. Plötsligt kan de ha låst sig i en position. Framåtlutade, höger axel mot den andres vänsteraxel. De har ett stadigt tag i varandras höftskynken.

Domaren dansar runt i sin färggranna kappa, skriker och hojtar, bjässarna verkar fastnitade i varandra.

Plötsligt rycker en av dem till och med hjälp av något grepp eller slag faller den andre till marken.

Naturligtvis finns det en mängd totalt olika grepp, ställningar och positioner i sumo, men utlänningen och amatörsumoentusiasten behöver lång träning för att hinna se vad som händer.

Ibland är matcherna hårda och brottarna kastar varandra ut ur ringen ner i publiken.

De som sitter närmast får vara beredda på dessa köttprojektiler. Det är inga småpojkar som kommer flygande.

Matchvikten ligger på 120-200 kg. Brottarna är sällan under 180 cm långa, ofta över 190. Den mest legendariske brottaren under slutet av 70-talet och början av 80-talet, hawaijanen Jesse Kuhalua väger 204 kg, är 192 cm lång och har vunnit långt över 600 matcher.

För utlänningar, som föreställt sig japanerna som små och spinkiga, är brottarnas format rent chockerande. Hur har de blivit sådana? Varifrån kommer de?

De stora sumostallen (man använder ordet stall) har egna talangscouter som ständigt reser runt och letar efter unga grabbar som höjer sig över folkmängden. De övertalas att gå med i stallet. Men vägen till toppen i sumo är mycket lång och svår. Kanske tio års daglig träning. Det är uppstigning i gryningen, städning och uppassning på de äldre brottarkollegerna, hårt arbete och träning utan mat fram till tolvtiden. Då blir det ett hett bad, följt av dagens huvudmåltid. Tanken med träningen är att bygga upp benstommen och stärka musklerna, maten ska göra att brottaren blir så tung som möjligt, särskilt då kring midjan.

Huvudrätten heter *chako-nabe* och är ett slags gryta med kött, fisk och grönsaker, till detta äter man kanske upp till tolv skålar ris och alltihopa sköljs ner med 5–6 stora flaskor öl.

Den som klarar sig bra och går segrande från turnering till turnering avancerar sakta, upphöjs i de olika grader sumobrottarna har tills han når toppen och utnämns till Yokozuno eller Stormästare.

De mest kända brottarna är alla miljonärer. De är slut vid 35, ofta långt innan, men kan ännu några år efter detta leva på reklaminkomster. Brottarna är superkändisar i Japan, alla deras göranden och låtanden redovisas noga i pressen, deras bröllop bevakas som svenska prinsessbröllop.

Det som skiljer sumo från alla andra idrotter i världen är också att man måste vara japansk medborgare för att kunna delta i de riktigt stora turneringarna och för att kunna bli Yokozuno. Jesse Kuhalua var amerikansk medborgare, men från Hawaiis japanska minoritet. Han blev japan på riktigt för att kunna gå den långa vägen till toppen.

Japanska talangscouter försökte en gång ta in brottare från Afrika, de hade samma kroppshydda som de japanska, men de fick aldrig delta i de riktiga turneringarna. Officiellt kunde man inte skylla på hudfärgen – istället hette det att deras krulliga hår inte gick att forma till den obligatoriska samurajfrisyr sumobrottarna måste ha.

Det kan vara intressant att veta att under 1200-talet, då sumo var upphöjd till en av de accepterade krigskonsterna, utövad av samurajer, utvecklades ur sumon en sidogren som först blev jiujitsu, senare judo.

Nu för tiden arrangeras sex stora turneringar varje år, varje turnering varar femton dagar. Biljetterna är alltid slutsålda och de bästa platserna vid ringside, med risk för inkommande fläskberg, kostar astronomiska summor och kan bara fås genom synnerligen goda kontakter inom affärsvärlden på allra högsta nivå.

Men turneringarna direktsänds i TV, missa inte denna chans att se och uppleva någonting alldeles unikt. Missa inte sumo!

15. En spark i magen

Du är kanske turist i Japan. Du kommer kanske i körs-bärsblommens tid. Du har kanske upplevt en klassisk teceremoni i det fina hotellets eleganta japanska trädgård. Du har kanske köpt en bok med översatta haiku-dikter. Du är kanske uppfylld av japansk stämning, du har ännu bambuflöjtens lite hesa toner i öronen, du kommer in i det stilla och harmoniskt inredda hotell-rummet.

Automatiskt sätter du på TV:n och du ser något som får dig att tappa andan. Det träffar dig som en hård spark i magen.

På skärmen håller först två, så småningom fem–sex kvinnor i läderkläder, somliga i bikini, på att misshandla varandra i en boxningsring. Runt omkring sitter flera hundra entusiastiska åskådare, som i stället för att ringa efter polisen, försöka avbryta misshandeln eller åtminstone vända sig bort, i stället jublar och knäpper vilt med instamatic-kamerorna.

Flera gånger i veckan och på bästa sändningstid på söndag eftermiddag tittar miljontals japaner på denna underhållning. Det är något slags brottning-misshandel. De två kvinnorna sparkar, hoppar, river, klöser, slår och biter varandra, var, när och hur de kan komma åt. Ibland griper en domare in, ibland klarar han sig, ibland får han en smocka, en spark eller ett bett. Då de båda hållit på en stund, hoppat på varandras magar med ansats uppifrån repen, dängt varandra i golvet några gånger, brukar fler slagskämpar hoppa in i ringen, liksom för att få upp tempot. Till slut är det alla mot alla. Några ramlar ner på golvet, där de med stolar, hinkar, bord och bänkar fortsätter att puckla på varandra.

En del av publiken verkar tro att allt som sker, sker på riktigt. Att kampen är äkta. Andra bara skrattar och menar att det är uppgjort, fejkat, cirkus allting.

Självklart är det på låtsas. Men den som dånat i golvet 20–30 gånger på låtsas, stått på huvudet ur ringen och fått en bänk i skallen på skoj, den stapplar därifrån, på fullt allvar, ofta skadad.

Detta är alltså underhållning, från början importerad från USA, men utvecklad i Japan, det är huvudsakligen japanskor som slåss, men ofta och gärna mot utländska vita motståndare. Dessa långnästa barbarer ska gärna vara dubbelt så stora som japanskorna och se ytterst grova och barbariska ut. Till slut brukar de förlora lika förbannat.

Denna underhållning har pågått år efter år i Japan, den skira körsbärsblommans och den spröda geishans land.

Slagsmålen och våldet är lika hårt i deckarserierna och samurajfilmerna.

Enligt vårt svenska sätt att se saken skulle nu detta vara ett oerhört gift för det japanska folket. En enkel matematik skulle visa att så och så många år av TV-våld obönhörligen måste leda till samhällets upplösning i våld och elände.

Vi leker nu att du, min käre turist, hämtat dig från chocken, knäppt av TV:n och ska våga dig ut. Ja, vi leker att du är svensk mästare i judo-karate och därför inte rädd för någonting. För vi utgår ifrån att du är beredd att möta den verklighet som våldet måste spegla.

104

Vi leker också att du tillhör den typ av masochistiska turister som absolut måste söka upp de mest eländiga, farliga och ruskiga miljöerna – vad händer?

Troligtvis ingenting.

Du blev varken nedslagen eller rånmördad.

Än mindre sparkad i huvudet av någon galen kvinna i läderbikini.

Hur går allt detta ihop?

Svar: Vet ej.

En del av våldet i massmedia får naturligtvis fylla samma funktion som våldet i vår TV. Den japanske TV-tittaren lever under konstant tryck från alla håll hela dagarna, han MÅSTE alltid uppträda korrekt, vara den leende och artige mannen mot alla chefer, arbetskamrater etc. Hemma, ensam framför TV:n, kan han låta sina favoritbrottare sparka in huvudet på hela världen.

Men japanskt våld har också många andra inspirationskällor och förklaringar, som vi inte alls har.

Det värsta som kan hända en japan är att bli förlöjligad, utskrattad, hånflinad åt över axeln.

Då exploderar herr Suzuki. Och hans grannar och vänner förstår varför.

Under Japans hela historia finns det våldshandlingar som sprungit fram ur en persons lojalitet till en herre eller en grupp. Gruppen kan vara aldrig så liten och saken man slåss för aldrig så hopplös. Det har alltid funnits folk beredda att dö för just denne herre eller denna sak.

Denna lojalitet har också alltid beundrats i Japan. Alltifrån den sanna berättelsen om de 47 krigare som genomled åratal av umbäranden och förödmjukelser för att de till slut skulle kunna hämnas sin herre, som hade

105

tvingats begå harakiri. Herren hade dragits in i en strid med shogunens ceremonimästare om den korrekta klädseln vid audiens hos shogunen. Här var själva stridsfrågan alltså inte särskilt upprörande, i varje fall inte för oss, men frågan om herrens ära var så viktig att historien ledde till Japans mest kända drama.

Denna beredskap att dö och även döda för en herre eller för en saks skull, den lever ännu i denna dag. Någon gång varje år är det någon politiker i Japan som blir utsatt för någon form av överfall av någon fanatiker.

Vad som gäller för den enskilda individen gäller också för hela nationen. De enda gånger världen haft anledning att vara rädd för Japan har varit i tider då Japan som nation blivit förödmjukad eller på något sätt illa behandlad.

Men varför har då inte TV-våldet påverkat japanerna lika mycket som man anser att det påverkar andra folk?

Slagsmål och förödelse av den typ vi har hör till undantagen i Japan.

En förklaring är att allt detta filmade våld är importerat våld. De vrålande, klösande tjejerna i bikini, de brutala fribrottarna, alla gangsters som ligger och skjuter på varandra bakom bilar och soptunnor – de är utlänningar som agerar i utländsk miljö, sporrade av utländska ideal, drivna av främmande aggressioner.

Allt detta importerade videovåld och det utländska våldet i original, eller lätt maskerat i japansk miljö, allt det återspeglar bara den verklighet vi har i västerlandet och haft i många hundra år, det är vårt problem och vår vardag.

Kanske är det så att japanen bara tittar på detta, tycker bra eller illa om det, men låter det inte påverka

106

honom i hans vardag, eftersom han är japan, bor i
Japan och har ingenting med Chicago att göra.

Som utländsk iakttagare kan man bara konstatera att
ibland sitter man där häpen och förvånad och just som
man trodde att man förstod allting, förstår man ingen-
ting.

17. Än lever samurajen

Alla medelålders och äldre européer och amerikaner har åsikter om hurudana japanerna var under kriget. Grymmare, men ofta också modigare, soldater fanns inte. Ja, modet för resten, det var ibland så stort att det blev ofattbart och oacceptabelt för fienden. Ingen normal människa kan göra så, alltså måste de modiga handlingarna vara utförda av vansinniga fanatiker, t.ex. kamikazepiloterna eller männen som styrde sina engångsubåtar, lastade med torpeder, rakt mot fientliga skepp.

Hundratals filmer har frossat i japanska krigsgrymheter och ännu i denna dag blottas hittills okända förbrytelser, som avslöjandena av de experiment japanerna utförde i Kina på krigsfångar.

Men i Japan har man naturligtvis ingen som helst förståelse för denna historieskrivning.

En veckotidning publicerade nyligen en undersökning som skulle avslöja hur japanen ser på sig själv. Resultatet: japanen är känslosam, vänlig, artig och human.

En överväldigande majoritet anser sig dessutom, som någonting alldeles självklart, stå vida över alla andra folk kulturellt, mänskligt och inte minst intelligensmässigt.

Var det någon som utförde grymma handlingar under kriget så var det amerikanarna – vilka var det som fällde atombomber kanske?

99 procent av den japanska historieskrivningen, pro-

pagandan, ja till och med vänsterns antikrigspropaganda, framställer Japan som offret och japanerna som det folk som fick lida mest.

Ibland blir man förbluffad över denna inställning och den okunnighet som råder i Japan om kriget. Svensk TV gjorde för en tid sen en rundfråga bland japanska ungdomar, för att ta reda på vad de visste om andra världskriget. En fråga vi ställde var: "Vad är Pearl Harbor?" En tonåring gav svaret: "Ett smekmånadshotell på Hawaii."

Några av ungdomarna trodde att "Japan tvingades gå med i kriget, därför att USA bombade Hiroshima och Nagasaki med atombomber".

Japan var offret.

Vad som däremot hålls levande i Japan är berättelserna om modet och lojaliteten, uppoffringarna under kriget. De sista kämparna som vägrade ge upp i djungeln, hyllades som stora hjältar i japanska massmedia, då de kom ut under 1970-talet. Men bara japanska kämpar hyllades. En av de allra sista envisa som kröp fram på Filippinerna trodde man först var japan, hundratals journalister åkte till platsen, TV-satelliterna kopplades på, spänningen var enorm. Då visade det sig att kämpen visserligen slagits på kejsarens sida under kriget, men att han var en tvångsrekryterad Taiwankines. Intresset svalnade omedelbart och kämpen försvann igen i total anonymitet. Och fattigdom. Någon ersättning för alla sina självuppoffrande år fick han aldrig.

Den japanska viljan till självuppoffring för gruppen var mycket stor. Ibland ofattbar. Under striderna på öarna i Stilla havet hittade amerikanarna på ön Angaur, efter attacken 1944, bara 36 överlevande av en försvarsstyrka på 1 300, på Rarawa var de bara sex av en styrka

109

på 4 000. De sex var beredda att fortsätta kampen.

Man kan beundra mod av detta slag, man kan också tycka det är det yttersta exemplet på mänsklig dårskap, i vilket fall som helst är historien full av liknande faktiska händelser, exempel på hur den japanska individen i grupp kan utföra de mest otroliga handlingar.

Det är samurajen och hans ideal som går igen överallt. Samurajen lever än i dag, inte bara genom att han svingar sitt svärd flera timmar om dagen i japansk TV, hans livssyn finns kvar och vårdas av japanerna i denna stund, just nu. Samurajen var krigarklassen som från 1100-talet ända fram till våra dagar levererat huvuddelen av Japans officerare och i modern tid också många av de stora affärshusens grundare. Huset Mitsubishi t.ex. startades av en avväpnad samuraj.

Samurajen skulle i konfuciansk anda vara både krigare och lärd man, han slogs och kämpade, men var också läraren och mästaren.

Därför kan det se ut som om samurajen är oerhört ensam där han står på TV-skärmen, omgiven av 30 ruskiga bovar, alla med dragna svärd. Då striden är slut, är det oftast bara samurajen som kan gå därifrån, med alla armar och ben i behåll.

Samurajen är då inte den ensamme krigaren, som vi ser den ensamme John Wayne blåsa röken ur pistolpiporna, kasta sig upp på hästen och rida iväg mot solnedgången och ett nytt äventyr bortom kullarna.

Samurajen kanske inte hade sällskap i striden, rent fysiskt. Men han var alltid, i alla lägen, en representant för en hel klass av krigare, toppen av samhällspyramiden. Den som slogs mot honom slogs mot den konfucianska hierarkins spets, en fruktansvärd utmaning.

Samurajens ensamhet var densamma som en lärares,

en stormästares. Han var föredömet, inspirations-källan.

Men han var också en del av systemet, en del som måste handla exakt så som etiketten krävde att just den delen skulle agera.

Samurajen och hans fiender kunde spelreglerna och visste vad de gjorde. På samma sätt som varje japan i varje grupp vet vilka regler som gäller för honom i den gruppen och för hans grupp i förhållande till andra grupper.

Då vi i vårt samhälle i väst oftast uppmuntrar ledarta-langer försöker japanerna tukta och kuva dem, anpassa dem till gruppen. Då vi i västerlandet går till en psykia-ter för att finna oss själva och få hjälp med att forma vår individualitet, gör japanen tvärtom, han får hjälp att bli gruppanpassad.

En tänkbar förklaring till att det blivit så här i Japan – att gruppen måste få bestämma – är att Japan i över tusen år inte haft någon gränsmark, någon ödebygd som ska erövras, inga öppna vidder dit unga män kunde färdas för att slå sig fram, skapa nya städer och byar.

Sedan ainufolket besegrades i Japan, urbefolkningen som sakta drevs norrut till Hokkaido, har japanerna inte haft några nya områden att erövra, varje grupp, samhälle har gränsat till en annan grupp av likvärdiga människor.

Om man till detta lägger det faktum att japanerna tidigt blev ett risodlande folk, med de krav på samhälls-organisation, disciplin och samordning som krävs för en effektiv risodling, kanske man förstår hur det japanska grupptänkandet uppstått.

Denna japanska grupp, den kan alltså drivas till otro-liga prestationer, på gott och ont.

Det var tack vare detta system som Japan så snabbt

111

kunde komma på fötter igen efter kriget.

Den japanska gruppen är som en oformlig amöba, den har ingen bestämd form, den förändras hela tiden, därför har den heller inte någon given ledare – en riktig ledare i Japan är den som lyckas hålla ihop gruppen och alla dess intressen, inte den som får gruppen att följa ledarens intressen.

En grupp i Sverige och västerlandet är annorlunda än en grupp i Japan eller Kina. Hos oss är gruppen ofta dominerad och styrd av en stark person eller klick, resten följer passivt efter.

Varje nykomling till gruppen måste hävda sig, vinner han kanske han blir ledare, annars krossas han, och blir ännu en passiv medlem.

Den japanske nykomlingen sugs in snabbt, blir en av många som tillsammans är en stark enhet. Då vi skulle ta yttre tecken som likadana mössor, eller märken på kavajslaget, nästan som ett nederlag, någonting förnedrande, ett tecken på att man blivit besegrad – verkar dessa symboler helt tvärtom i Japan. De lyfter individen.

Den japanska gruppen är ungefär som en svensk hejaklack i Bajens eller AIK:s färger på läktaren, många enskilda som tillsammans kan försätta berg, på gott och ont, men där var och en enskilt är ganska spak.

Genom att amerikanarna efter krigsslutet lät kejsaren finnas kvar, och man administrerade landet med hjälp av ett japanskt byråkratiskt maskineri, så behöll man och byggde vidare på den sociala kontrollapparat som alltid funnits i Japan och som varje japan accepterade.

Kejsaren skulle egentligen, om han hade följt samurajidealet, självklart ha tagit livet av sig. Han var kejsa-

112

re då kriget inleddes, han var kejsare då Japan vann sina största segrar och nådde en styrka och geografisk storlek som aldrig förr i historien, han var fortfarande kejsare då Japan atombombades och landet var fullständigt besegrat, och kejsaren medger att Japan förlorat. Han som var född att vara kejsare och växte upp i tron att han VAR en gudarnas son, hans fötter fick aldrig nudda vid golvet, ingen vågade klippa hans hår eller naglar då han var vaken, denne man gav upp allting och erkände att han var en helt vanlig människa.

Men genom att han inte tog livet av sig, genom att han fanns kvar som symbol för det evigt japanska, kunde Japan resa sig snabbt. Därför spelade han som besegrad kejsare kanske en större roll för Japan än vad han någonsin hade kunnat göra som krigskejsare.

Många äldre japaner har aldrig förlåtit kejsaren att han inte tog livet av sig. Men för eftervärlden kanske just denna "feghet" – modet att så radikalt bryta med det förgångna – kan visa sig vara exempel på ett oerhört stort mod.

18. Med namnteckningen i byxfickan

Varje gång du ska skriva din namnteckning i Japan anvisas ett utrymme obetydligt större än din lillfinger-nagel och dessutom ofta avgränsat som en rund cirkel.

Råkar du då heta Karl-Fredrik Tuntzelmann von Ad-helfluugh blir du kanske irriterad över den japanska blankettsnålheten. Alla kan ju inte heta Bo Ek.

Men varenda japan kan få in sitt namn på anvisat utrymme, inte för att de har små små namn utan för att de inte skriver något alls. De tar fram en liten ask, ur den plockas en liten stämpel och med tungan rätt i mun och med stor precision pressas nu några eleganta skriv-tecken in i cirkeln.

Hanko, sigill, heter stämpeln på japanska. Den är oftast av trä, men många har exklusiva saker av elfen-ben eller dyrbara stenarter, familjeklenoder som tas fram då högtidliga dokument och kvitton ska under-tecknas.

I Japan är en japansk skriven namnteckning inte värd någonting. Ungefär lika värdelös som svenskt pass på svenskt bankkontor. Ett löjligt dokument att försöka identifiera sig med. Det hjälper inte att ditt namn och porträtt står där, ordentligt infört av Svensk Myndighet.

I Japan har det ingen som helst betydelse att japanen personligen inför ögonen på personalen skriver sitt namn. Även om han gjorde det hundra gånger. Eller i synnerhet då, för det kommer antagligen att visa sig att hans namnteckning förändras varje gång. Det är så för dig också – pröva får du se. Men sigillstämpeln ändrar sig aldrig. Det är bara utlänningar som får skriva sitt namn som de brukar, för hand.

Varje japan måste registrera sitt sigill på kommunalkontoret. Då är det giltigt som laglig signatur. Men namnet kan tryckas dit med vilken stämpel som helst. Om herr Suzuki har glömt sitt personliga sigill är det bara att gå några hundra meter till närmaste pappershandel och där inköpa ett Suzukisigill, där finns färdiga sigill för de hundra vanligaste namnen. Då blir hans namnteckning laglig igen.

Vem som helst kan komma in och köpa stämpel för vilket namn som helst.

Som misstänksam utlänning undrar man nu helt stillsamt om det aldrig förekommer att t.ex. herr Sato går och köper herr Suzukis stämpel och LURAR någon. Han behöver ju bara trycka dit stämpeln.

En förfalskare hos oss måste ju i alla fall öva sig några gånger innan han kan klämma dit sitt falska namn.

Då man ställer sådana här frågor till en normal japan tittar han på dig både förbryllad och häpen. Använda någon annans sigill? Det vore ju olagligt!

Då kan man som utlänning i Japan bara buga och säga, javisst ja, det är ju olagligt – då kan det inte förekomma.

För det förekommer praktiskt taget aldrig.

19. Shogunen i skuggan

Japans mäktigaste man är inte kejsaren. Det är inte statsministern heller.

Under 70-talet och långt in på 80-talet var Japans allra mest inflytelserika man en person som var tillfälligt frigiven mot borgen, avsatt i vanära från sitt ämbete, officiellt utstött från sitt parti, som han hade lett i många år.

Det var en man som inte hade något enda officellt ämbete själv, men som med ett telefonsamtal av- och tillsatte statsministrar och styrde över Japan.

Han var Japans *kurumaku*. Ordet kommer från den japanska dockteatern, där det är kurumakun som klädd i helsvart siden styr hela dockteatern fullt synlig på scenen, men som publiken ändå inte ser, för han ska inte synas.

Sådana kurumaku har det alltid funnits i Japan, mäktiga män som drar i politikens och ekonomins trådar och styr landet.

Kakui Tanaka var en sådan man i många år.

1976 skakades Japan av Lockheedskandalen, det meddelades via USA att Japans statsminister troligtvis hade tagit emot över 30 miljoner kronor i mutor för att se till att ett japanskt inrikesflygbolag köpte Lockheeds flygplan.

Tanaka arresterades verkligen och satt i ett av Japans fruktade fängelser något dygn, innan hans advokater lyckades få honom fri mot borgen.

Historien skakade Japan framför allt därför att några av de högsta samhällsbevararna verkligen åkte fast. Få japaner är omedvetna om de stora summor som alltid åkt mellan näringslivet och politikerna. I själva verket anser de flesta att pengarna egentligen inte alls är mutor, de är en del av det invecklade samhällsmönstret i Japan med tjänster och gentjänster, återbetalning av tacksamhetsskulder.

Huvuddelen av politikernas pengar brukar dessutom inte gå till politikerna personligen, utan till deras fraktioner, gruppen, pengarna bekostar gruppens aktiviteter.

Rättegången mot Tanaka pågick långt in på 80-talet och kan i teorin pågå så länge han lever, det japanska rättvisesystemet är sådant.

Tanaka ledde den största fraktionen inom det regerande Liberal Demokratiska Partiet (LDP), ett parti som vid närare granskning visar sig vara varken liberalt, demokratiskt eller ens ett parti. Det är en koalition av olika konservativa grupper med starka band med näringslivet och centralbyråkratin, de krafter som tillsammans styr Japan.

Tanaka tvingades avgå officiellt som partimedlem och ordförande, men han återkom med bred marginal till parlamentet i nästa val, som oberoende. Han återtog, som oberoende, ledningen över sin fraktion av LDP och åren efteråt växte fraktionen i styrka. Tanaka blev ännu mäktigare.

Fenomenet hade varit omöjligt i exempelvis Sverige, men i Japan är det enkelt att förklara.

Ju större en politisk fraktion är i parlamentet, desto fler höga poster och ämbeten kan gruppen kräva, desto mer pengar får gruppen från intressegrupper som place-

117

rar sina pengar hos dem som kan tänkas ge bästa återbetalningen.

Tanaka kallades av tidningarna för Shogunen i skuggan, varje vecka kunde TV-tittarna se samma scen. Stort pressuppbåd framför domstolslokalen i Tokyo. Limousinen gled upp, ut kom Tanaka, blank i ansiktet, höger hand låst i en samtidigt vinkande och avvärjande gest. Han försvann under kamerornas klickande och blixtrande.

I nästa bild kom han ut ur lokalen och försvann i Tokyotrafiken, bilden fortsatte ofta med en helikopterbild, TV-bolaget flög in över Tanakas magnifika residens i centrala Tokyo, man kunde se Tanakas limousin där nere, portarna till residenset öppnades, bilen försvann i den gröna trädgården, Shogunen var tillbaka i sitt fort, onåelig för oss vanliga dödliga.

En stor del av väljarkåren beundrar Tanaka. Han var den förste japanske ledaren sedan 1500-talet som kom direkt ur folket, som inte var medlem av någon fin familj och som inte gått på de bästa universiteten. Han var en selfmade man som med en kombination av hårda nävar, näsa för affärer och mycket rymligt samvete lyckades bli miljonär i bygg- och entreprenadbranschen under kriget, då hans jämnåriga tjugoåringar gav sina liv för kejsaren över stora delar av östra Asien. Själv fick han frisedel av hälsoskäl.

Då freden kom var alla japanska politiker bortgjorda, det fanns utrymme för nya friska fläktar. Tanaka kastade sig in i denna möjlighet, blev omedelbart invald, och också ganska snart fälld i sin första muträttegång.

Men han lyckades bra, byggde upp sin förmögenhet parallellt med att hans politiska inflytande ökade. Han fungerade som en moderna tiders feodalherre över sitt eget valdistrikt, där byggdes industrier som aldrig förr, dit drogs snabbtåg och väljarna jublade.

Då bomben detonerade och skandalen var ett faktum är det mycket troligt att Tanaka själv inte var riktigt medveten om summorna och detaljerna i härvan. För honom var 30 miljoner småsmulor och detaljerna, då pengarna överlämnades av ett stort handelsbolags agenter till Tanakas sekreterare, de detaljerna hade Tanaka troligtvis ingenting att göra med. Hans tid upptogs av mera överbryggande och storstilade projekt. Därför var hans förvåning och häpnad i början av historien troligtvis helt äkta.

En annan av Japans legendariska kurumaku var också inblandad i härvan, Yoshio Kodama, som var den man som hade skött själva överföringen av pengarna – totalt över 100 miljoner kronor – från det amerikanska bolaget till Tanaka och hans närmaste, politikens ledande garde.

Kodama var en politiker, som ända sedan tonåren varit febrilt aktiv inom de mest extrema högerkretsarna. Under kriget blev han legendarisk som ledare för Japans synnerligen effektiva spionorganisation i Kina, han hade över 10 000 agenter runt om i landet, samtidigt som han officiellt var flottans uppköpare i Shanghai. Han byggde upp en organisation som med alla medel samlade ihop konstskatter, guld, smycken och juveler för miljoner, en stor del av detta krigsbyte lyckades han i god tid föra över till Japan och den förmögenheten kom väl till pass då det senare gällde att köpa sig ut ur fängelset.

Den amerikanska ockupationsmakten betraktade nämligen Kodama som krigsförbrytare. Naturligtvis klarade han sig, liksom hans cellkamrat Kishi, som senare blev statsminister och hans cellkamrat Sasagawa, som senare skulle bli en nästan lika mäktig kurumaku.

Naturligtvis är det inte många japaner som har någon särskilt hög uppfattning om sina politiker. Opinionsundersökningarna varje månad brukar sällan ge den regerande statsministern mer än 30 procent av väljarnas stöd.

I stället för att, som man antagligen skulle göra i svensk press, skriva att 70 procent av väljarna är emot statsministern, brukar de japanska tidningarna då utropa "Ökat stöd för statministern, opinionssiffrorna upp 2 procent!" Eller också kan det vara en situation med 76 procent emot honom, men ingen förändring upp eller ner, då skriver man i rubrikerna: "Oförändrat stöd för statsministern."

Det liberaldemokratiska partiet, som med små avbrott styrt Japan ända sedan fredsslutet, kan alltså behålla sin ställning genom det starka stödet från byråkratin, storföretagens ledning och huvuddelen av de konservativa yrkeskårerna som läkarna, advokaterna, högre tjänstemän men också landets småbönder och fiskare.

Alla schatteringar av moderat samhällssyn finns inom partiet, från blåsvartaste fascism till svensk typ av moderat-liberal reformvilja.

Den praktiska politiken förs sedan, inte öppet i parlamentets plenisal, utan precis som i Sverige i de avskilda kommittérummen, allt görs upp på förhand, allt är en de sega samförståndens dragkamp, ett spel där man byter tjänster och gentjänster, jag stöder dig nu så stöder du mig i min omröstning.

Och precis som i Sverige sker det ytterst få förändringar, även om nya män skulle komma till makten.

För en åskådare till det tråkiga och sega spelet i parlamentet finns det dock en stor skillnad mellan svensk och japansk riksdagsdebatt.

I Japan kan de normalt ytterst prydliga, lönnfeta, medelålders herrarna i sina fina kostymer plötsligt explodera i våldsamma slagsmål, de nästan stryper varandra i slipsarna, kragknapparna ryker och glasögon krossas – allt under ett öronbedövande larm och dån.

De där dusterna är oftast lika plötsliga och korta som sumobrottarnas kollisioner i ringen – och lika spektakulära att titta på i TV. Sumobrottarna avtågar dock efter avklarad match med betydligt större värdighet än de blåröda riksdagsmännen med sina tilltufsade kostymer och flämtningar nära hjärtinfarkt.

Det är svårt att förklara slagsmålen, för japaner slåss annars ytterst sällan och de herrar, som uppträder så förnedrande för sig själva och för det politiska etablissemanget i Japan, är högutbildade annars ytterst korrekta herrar, advokater, ledamöter i stora bolagsstyrelser, de skulle hellre begå harakiri med brevöppnaren på bolagsstämman än bryta mot etikettsreglerna.

Jag har aldrig sett något seriöst försök till psykologisk förklaring till denna sista fläck av det japanska samhället där samurajernas och svärdsmännens impulser så fritt kan släppas lös. Om inte förklaringen är just denna: här i parlamentets skyddade verkstad, här finns Japans sista slagfält, där urjapanen kan låta sin macho explodera.

Ty de tillfällen då slagsmålen bryter ut är i situationer som förr hade lett till att svärden drogs.

Oftast har oppositionen blivit överkörd genom något plötsligt men fullt lagligt parlamentariskt trick, någon person eller grupp har inför alla andra under förödmjukande former dragits vid näsan, tappat ansiktet. Spelet är förlorat, återstår egentligen bara att dö på ett värdigt sätt. I stället krossas några glasögon och en slips rycks av. Tiderna förändras.

Och nu, precis som under shogunens dagar, sitter det en kurumaku, Tanaka eller någon annan, och drar i trådarna bakom kulisserna.

20. Kollision och kosing

Plötsligt hördes ljudet av däck som gnisslade mot asfalten, så kom smällen, klirret av krossat glas – och tystnaden.

Två nya bilar hade kört ihop i gathörnet, ordentliga bucklor.

Gamen i mig spratt till. Journalistisk nyfikenhet kallas det också.

Jag gick närmare. Detta var första gången jag bevittnade två kolliderande personers uppgörelse i Japan. En gång hade motsvarande situation i Beirut lett till att tre personer låg lätt sårade med skottskador i armar och ben, en grönsakskärra hade fattat eld av en handgranat och stora delar av centrala Beirut hade lamslagits i två timmar av en trafikstockning som ingen serietidningstecknare någonsin hade kunnat överdriva.

En annan gång i östra Medelhavsområdet hade jag fått se hur de bägge bilförarna flög ut ur sina bilar och – under en ständigt växande och alltmer entusiastiskt engagerad publiks starka stöd – improviserat fram oerhört mustiga och detaljerade beskrivningar av motståndarens samtliga förfäders sexualvanor, utseenden och allmänna utförsgåvor.

Nu skulle jag få se den japanska versionen.

Ut ur varje bil kliver nu kostymherre, verkar vara i samma ålder och av samma mellan-medelklass som 60–80 procent av japanska folket anser sig vara.

Inga svordomar. Inga smockor. Inga obscena gester.

Inga högröda ansikten som kräver RÄTTVISA, ER-SÄTTNING.

Båda bugar. Lika mycket. De bugar som om de träf-fades på en fin mottagning. De ser något bekymrade ut bägge två, men en utomstående kan inte se vem som är "skyldig" och vem som är "offret". De bugar, ger var-andra sina visitkort, bugar igen. De inspekterar skador-na, krossade lyktglas, fula bucklor, hiskeliga repor.

Den blixtsnabbe svenske amatörbrottsutredaren ser omedelbart att vita bilen grovt brutit mot de enklaste trafikregler.

Nu upptäcker jag att jag egentligen är den ende åskå-daren. Ingen annan stannade. Ingen folksamling. Inga nyfikna. Inte ens polisen, som står utanför poliskiosken ett stycke ifrån oss, visar det minsta intresse.

De bägge herrarna har nu slutat buga så mycket att de kan se varandra i ansiktet. De pratar lågmält.

Efter en stund dryper bägge av, de ser ut som två nära anhöriga som råkat ut för en gemensam, men oundviklig olyckshändelse.

I Japan, fick jag lära mig, är det ju så att ingen någonsin skulle ställa sig upp och kräva sanning och rätt och få den skyldige naglad vid skampålen. I Japan ska harmonin bevaras till varje pris, även harmonin i en gatukorsning. Och även om det var så att den blåa bilen var fullständigt oskyldig, enligt vårt sätt att se, var han enligt japansk uppfattning lite skyldig i alla fall – han stod ju där, inte sant? Hade han inte varit där just då, hade det ju inte blivit något kollision, eller hur?

Frågan om ersättning görs upp tyst och diskret mellan de inblandade, utan polis och domstolars hjälp. Går saken till domstolen kan det mycket väl bli så att den som vi ansåg klart skyldig får ett mycket milt straff, bara

124

för att han hela tiden visade stor ånger och samarbetsvilja, medan den som blev påkörd uppträdde sturskt, högljutt, oartigt och var allmänt otrevlig – och därför blir straffad, han också.

Hade det hela gjorts upp där på gatan som en enkel ekonomisk transaktion, fick publiken aldrig se några pengar. Den skyldige hade aldrig tagit fram plånboken för att här och nu reglera skadan.

Pengar är något smutsigt i Japan, något man egentligen inte talar om, och ska de absolut överräckas, gör man det ytterst diskret i ett kuvert, eller i särskilda påsar som finns i pappershandeln, avsedda för penningöverlåtelser.

Ändå är sedlarna i Japan renare, slätare än i något annat land på jorden. De verkar alltid nya.

Gå in på en bank och studera kassörskorna. Se hur elegant de räknar sedelbuntarna, de brer ut sedlarna som en svensk trollerikonstnär kan göra med korten i handen, stryker ut dem som en vacker solfjäder. Kassörskan räknar fem och fem. Det ser både vackert och artistiskt ut.

Japan är världens näst starkaste ekonomi, men det är fortfarande ett land där man helst betalar kontant, checksystemet har aldrig slagit igenom, inte heller kontokort på andra ställen än på krogen.

Alltså kan man förmoda att enorma penningsummor transporteras på gatorna i centrala Tokyo. De kommer nästan aldrig i väpnade pansarbilar.

Troligast är att penningbudet är en pensionerad herre, som fått detta extraknäck. Han är klädd i fin och prydlig uniform, hans penningtransport som kan innehålla motsvarande två–tre miljoner kronor kanske han bär i handen, eller också ligger den på pakethållaren på cykeln.

Skulle han i sin senilitet tappa en påse är det säkert ingen skada skedd. Påsen skulle med största sannolikhet tas om hand och lämnas in på närmaste polisstation.

Barnen hittade en gång motsvarande över tusen kronor på gatan, det är en veckolön för de flesta japaner. Pengarna låg som en bunt prydliga sedlar på trottoaren.

Barnen plockade upp pengarna och lämnade in dem på polisstationen. De fick kvitto. Sex månader senare, om inte den som förlorat pengarna hört av sig, skulle de tillfalla upphittaren.

Spänningen var stor sex månader senare. Vi avtågade till polisens avdelning för upphittade pengar. Det är nämligen en särskild avdelning. Där låg kuvert med pengar. Miljontals pengar, alltifrån småsummor till avsevärda buntar. Allihopa var prydligt markerade med fyndplats, datum och upphittarens namn och adress.

Under barnens stigande upphetsning gick polismannen igenom registret med deras kvitto i handen.

Hurra! Han som förlorat sina pengar hade inte hört av sig. Pengarna var ungarnas!

21. Packade tåg

Morgon i Tokyo. Den här dagen måste jag absolut åka och köpa en present. Utan att tänka mig för ordentligt anländer jag till kvarteren nära Shinjuku tunnelbane- station så där vid halvniotiden.

För sent inser jag mitt misstag. Likt den som ramlar i forsen och sugs med av virvlarna är jag redan fast. Jag sugs med av folkmassan.

Tusentals, hundratusentals människor – enligt stati- stiken faktiskt två och en halv miljon – färdas varje vardagsmorgon via denna station under ungefär två tim- mar. Det är Tokyos mest trafikerade, hit kommer linjer från alla håll, här måste många byta för att komma vidare. Undviker man den värsta rusningen är det inte värre här än i Stockholm, men ibland måste man iväg.

Man kan inte kämpa emot. Man måste gå med i den hastighet massan går, dvs. med en fart mellan snabb gång och lätt joggning. Här går den svage under, i varje fall kan han sopas åt sidan och kommer inte på något tåg den morgonen.

Vi strömmar iväg på trottoaren. Vi glider förbi rader av folk som står och delar ut flygblad, reklam för restau- ranger i närheten. Ingen stannar men många lyckas nappa till sig ett blad i flykten. Mitt i folkmassan finns huvuden på betydligt högre höjd än där en vanlig japan vanligtvis har sitt huvud. De visar sig tillhöra cyklister. I Japan cyklar man bara på trottoarerna.

Prydliga tjänstemän i citymundering kommer trampande, plingande på klockor, genom folkmassan på väg mot tågen, skickligt kryssar de utan att stöta till någon, utan att tappa balansen.

Människomassan forsar in i stationshuset fram mot väggen med biljettautomater. Utan ordningsvakter, utan skyltar eller kommandorop delar man upp sig i köer och nästan utan att hastigheten minskar i färden framåt glider köerna fram mot automaterna, pengar läggs i, knappar trycks, biljetter rasslar ut och människorna flyter vidare mot perrongerna.

Japan, som är ett av världens mest utvecklade länder där tekniken nått längre än i de flesta europeiska, bjuder ändå ständigt på överraskningar.

Här kommer världens kanske största morgonflod av resenärer forsande mot perrongerna och där sitter ändå en rad av pigga unga män, iklädda grå uniformer och vita handskar, och med klipptänger – precis som i Krylbo på farfars tid. Varenda biljett klipps! Inga automatiska dataavläsare här.

Nya köer på perrongerna. Detta kommer aldrig att gå, säger tvivlande svensk. Ett absolut fullpackat tåg rasslar in, dörrarna öppnas mot en överfull perrong. Mellan tåget och folkmassan finns en rad uniformsklädda män – de världsberömda tåginklämmarna. En svart flod av folk väller ut ur tåget, en lika stor flod väller in. Det ser inte klokt ut, men på några sekunder har de två folkmassorna bytt plats, verkar det som. Det lyckas emellertid inte helt. Armar, ben, huvuden, portföljer och paraplyer sticker ut ur de ännu öppna dörrarna.

Föraren gör ett försök men dörrarna går inte att stänga. Inklämmarna rusar fram, de bänder in en arm där, trycker in en skalle här, petar in en portfölj. Och simsalabim! Tåget kan gå. Då är ansikten, kroppar,

kroppar, kläder bokstavligt tryckta mot fönstren och dörrarna.

Tvekande svensk tänker sig vänta på nästa tåg, för att upptäcka att det naturligtvis är exakt lika fullt som det föregående. Och nu åker man med vare sig man vill det eller inte. Man trycks med in i vagnen. Det är ingen panik, ingen aggression i knuffarna, inga svordomar, bara liksom ett okuvligt sug, en obändig kraft som suger in mot vagnen.

Där står man. I bästa fall på egna ben. I bästa fall har man fått en stropp att hålla sig i. Tåget sätter igång och omedelbart kopplar massan av. Många faller omedelbart i sömn, huvudet lutat mot grannens axel. Många lyckas pillra upp en morgontidning, finurligt vikt, nästan som japansk origami i högsta klass. Med hjälp av långfinger och pekfinger på en arm, absolut låst mot kroppen, läser min granne långsamt igenom dagens tidning, den är obetydligt bredare än biljetten, skickligt vänder han och pillar och lyckas få fram nya textrader.

Normal svensk har huvudet ungefär på japansk bryl-crèmenivå. Kortare personer står ofta så tätt att grannens näsa nuddar vid din kind och din blick kan vara fixerad på annan grannes nästipp. Konsten är nämligen att absolut inte röra huvudet och allra minst ögonen. Du kan vara på ögonfrans avstånd från någon – men visa det inte. Stirra ut i intet – som om du stod ensam vid havet. Då finns varken du eller han.

I japanska tunnelbanetåg finns det hatthyllor och där lägger de som kan sina portföljer. På svenska tåg skulle väl det mesta ligga kvar på hyllan då passagerarna lämnat vagnen, men här kommer det mesta ut igen. Det är klart, järnvägen har varje år visning av allt som glömts kvar av de många miljoner passagerarna. Det är några hundratusen paraplyer, men också några tiotal arm- och benproteser, ett tiotal urnor med avlidnas aska, levande djur och i år också en tempeltrumma på ca 300–400 kg som på något sätt tagits in i vagnen trots att trumman måste vara dubbelt så bred som dörren.

Tåget stannar vid nästa station. Vi ser ett nytt hav av prydligt klädda, yngre och medelålders människor, packade tätt, tätt. Dörrarna öppnas och tro det eller ej, ytterligare några hundra klämmer sig in. De allra sista vänder ryggen åt oss och tränger sig in, pressar på allt vad de orkar. Fortfarande inga svordomar, inga protester. Ingen panik.

New Yorks borgmästare var nyligen i Tokyo och efter tio minuters studium av trängseln i tunnelbanan förklarade han att detta bara var möjligt i ett land som Japan. I USA hade det blivit kravaller. Massmord.

Så här är det alltså under ca två timmar varje morgon, sedan lättar trafiken och strax efter rusningen är det lugnt och trevligt igen. Tunnelbanan är trots allt det bästa och snabbaste sättet att förflytta sig i Tokyo.

När det är färre passagerare kommer du att upptäcka ytterligare ett exotiskt faktum på Tokyos perronger. Många av linjerna håller sig med stinsar på plattformen. Varje tunnelbanetåg – ibland kommer de med endast några minuters mellanrum – möts av en prydlig man, komplett med uniform, stinsmössa, stinsflagga och visselpipa.

Han viftar iväg varje tåg med samma allvar som om det vore Orientexpressens avgång från Paris. Högtidligt och ordentligt ser han till att alla är med, viftar med flaggan, visslar i pipan, utför sina rituella handrörelser. En stins på varje sida av varje plattform.

Och då du går ut möter du biljettinsamlarna. Varje

130

passagerare lägger sin använda biljett i en låda framför insamlarna som blixtsnabbt ser om du ska betala mer än du gjort. Även de sitter där varje morgon då två och en halv miljon människor passerar Shinjuku station. Och i Tokyo finns det inga praktiska kort som gäller för alla tåg hur många gånger som helst, som i Stockholm. Alla biljetter kontrolleras.

22. Världens artigaste bufflar

Det här är en vanlig syn på en japansk flygplats. En liten delegation mörkklädda herrar står och väntar på sin hemkommande direktör. Framgångsrika förhandlingar har avklarats. Företagets ledning står beredd att hylla chefen och visa honom sin vördnad och respekt. Han kanske har varit borta några veckor. Bakom de mörkklädda står en kvinna uppklädd i kimono. Hustrun.

Så kommer den framgångsrike. De mörkklädda bugar och bugar. Direktören bugar. Fast inte lika djupt. Artigheter och välkomstfraser uttalas. Hela programmet genomförs noga. Hustrun står långt bakom, hon bugar djupast av alla.

Ceremonin är avklarad. Herrarna sätter sig i de framkörda limousinerna. Sist hoppar hustrun in i samma bil som maken.

Bilen glider ut från trottoaren. Nu vänder han sig för första gången mot henne. Han säger något. Troligtvis frågar han alldeles kort hur barnen mår. Det var allt.

Detta kunde mycket väl ha varit en man och kvinna som älskar varandra djupt och innerligt. Men sådana känslor demonstreras ju aldrig offentligt i Japan. Hade mannen rusat fram och kramat om hustrun, eller ännu värre, kysst henne, hade han aldrig varit direktör för ett framgångsrikt företag. Knappast direktör för något japanskt företag över huvud taget.

Att demonstrera känslor är ett utmärkt bevis på mannens olämplighet. Man måste behärska sig, visa att man har läget under kontroll, inte låter sig styras av tillfälliga emotioner.

Detta är samurajen som finns inom varje japansk man. På samma sätt som den tuffe cowboyen och revolvermannen ska finnas inom varje riktig karlakarl i västvärlden.

Ett vanligt slut på en samurajfilm i TV är scenen då samurajen efter kanske tio års krigande långt från hemmet plötsligt en dag rider upp på den egna gården.

Anställda, barn och andra anhöriga faller som käglor till marken bugande inför sin herre och man. Samurajen låter möjligtvis ögonen smalna till streck, han grymtar något ohörbart. Sakta går han en liten sväng, tittar på fruktträden, byggnaderna.

Under tiden har hustrun upptäckt uppståndelsen på gårdsplanen, hon rusar ut på verandan, faller på knä, bugar enligt konstens alla regler för sin man. Han ser henne kanske i ögonvrån, men säger inte ett ljud.

Mannen sjunker ner på verandan. Ansiktet uttrycker en känsla av välbehag. Han är äntligen hemma. Han säger ingenting. Hustrun bugar ännu en gång och säger: "Välkommen hem – vill du ha lite te?"

Utan att titta åt hennes håll tycks han fundera över detta erbjudande en liten stund. Så säger han: "Jag vill ha en kopp."

Så slutar filmen.

Så talar och uppför sig en riktig japansk samuraj, för 500–600 år sen, och i dag.

Men det är inte så annorlunda från hur många nordiska män uppför sig. Då svenskar anklagar japaner för att vara känslohandikappade, oförmögna att visa passioner, glömmer vi de generationer av kompakt tystnad som ruvat i våra förfäders torp och stugor.

133

Det är mången nordisk man som kommit hem, satt sig vid köksbordet och som öppningsreplik efter en mycket lång frånvaro från hemmet yttrat något i stil med: "Fan vad det regnar" – eller kanske: "Trappan måste lagas."

Turister som varit en kort tid i Japan, bott på bra hotell, rört sig på de vanligaste turistorterna, återvänder hem övertygade om att de varit i ett land där människorna är världens mest artiga. Ingenstans på jorden möter man så många artiga, vänliga och tillmötesgående personer som i Japan.

Samma turister kanske träffar andra utlänningar som bott i Japan några år, och som med hetta och lidelse försöker förklara att japanerna är världens mest buffliga och hänsynslösa folk.

Bägge har rätt.

En person som bugande och leende gör allt för att tillfredsställa turistens eller någon annans minsta önskemål kan gå ut ur rummet och i nästa ögonblick bete sig ytterst brutalt och hänsynslöst. En människa som hellre skulle äta upp en avbränd tändsticka än slänga den på golvet kan en stund senare kasta sopor direkt på golvet i en tågkupé eller på en badstrand.

En man som är fullt beredd att bära dig över gatan kan några minuter senare köra armbågen i magen på en pensionerad tant, i kampen om en sittplats på tåget.

Nu är det inte så att japanerna är farliga dubbelnaturer. De uppträder bara exakt så som man väntar sig att de ska uppträda, så som de är uppfostrade att bete sig.

Vad vi menar med artighet är något annat än vad japanen menar. En artig människa i väst är en person som alltid och överallt visar hänsyn och omtanke. En artig svensk är artig mot alla, bekanta som obekanta.

En japan är genom uppfostran inställd på att visa all respekt och hänsyn mot dem han är beroende av, nära vänner och släktingar, chefer och arbetskamrater osv. Ju mindre bekant man är med en person, ju mindre beroende, desto svalare är man i sitt beteende. Ju längre bort från de inre cirklarna man kommer, desto mer anonym blir man. Alltså förändras ens beteende och också omgivningens förväntan på hur man ska bete sig.

Att skräpet hamnar på golvet i tågkupén beror på att ytor där man har skorna på sig, som i en tågkupé, är en förlängning av marken, trottoaren, alltså oren, allmän egendom och ingenting att visa hänsyn mot.

Låt oss sitta kvar i tågkupén. Vi leker att det är en stekhet sommardag.

Tåget är fullt, de flesta passagerare är affärsmän på väg till eller från förrättningar. Så snart tåget rullar iväg tar männen av sig kavajerna och slipsarna.

En herre i övre medelåldern tar även av sig de svarta byxorna. Han drar av dem långsamt och omständligt, hänger ordentligt upp dem över stolsryggen. Han har vita långkalsonger på sig, av en modell som de flesta japanska män alltid nyttjar, sommar som vinter.

Ingen i kupén reagerar. Herrarna sitter nu där, några släpper sig ljudligt, någon kan harkla sig på gränsen till kräkning, ingen bryr sig om det. Hopskrynklade tidningar, fruktskal, ölburkar kastas på golvet.

Männen röker hela tiden, även om det skulle stå rökning förbjuden på skyltar – vilket det nästan aldrig står i Japan. Aska och rök lagras över medpassagerare.

Några av männen tar fram våldsamt pornografiska herrtidningar. Utan att bekymra sig om kvinnliga medpassagerares miner eller åsikter försjunker de i sin litteratur, kanske petande tänderna under sinnligt smackande.

En timme senare kan samma män vara prydliga, leende korrekta herrar på kontoren igen.

De är alltså inga dubbelnaturer utan helt vanliga japanska herrar som uppför sig som de alltid gjort. På ett sätt bland totala främlingar, på ett annat bland vänner och kolleger.

En riktig karlakarl i Sverige, så som han framställs i herrtidningar och enligt de enklaste clichéerna, är väl en man med mycket hår på bröstet, en man som jagar och fiskar ensam i de djupa skogarna, en muskelknutte som hellre spelar poker med grabbarna än sitter och diskuterar andliga ting, som hellre slår någon på käften än stryker medhårs, en person som doftar piprök och whisky; en person med stark misstänksamhet mot tjocka böcker, en som gillar blodiga biffar, kurviga damer med stora bröst, fotboll och snabba bilar. Han ska vara en stark soloartist som ensam kan besegra alla fiender.

Den japanske mannen i de japanska clichéerna av MANNEN är både lik och olik sina västerländska kolleger.

Han ska också gilla sprit – men bara vid absolut rätt tillfälle och på rätt plats. Han är aldrig ensam i skogen utan en länk i en stark grupp. Han är blint lojal mot sitt företag och sin grupp och dem han har svurit vänskap. Han är beredd att offra allt, utom familjehedern, för sina vänners skull, för sin grupps framgångs skull.

Han är beredd att ljuga och bedra, om hans chef och hans grupp kräver det. Hans glädje och framgång är gruppens glädje och framgång.

Hans ansikte får aldrig uttrycka några känslor. Men vissa män har utvecklat ett sätt att blänga eller spärra upp ögonen som ska uttrycka våldsamma passioner. I kabukiteatern kan en skådespelare uttrycka mycket starka inre känslor genom att vid rätt tillfälle plötsligt vinda på ett särskilt sätt. Det fanns en mycket berömd skådespelare som var mästare i denna konst och då han klämde till med ögonen gick det som en stöt genom salongen.

En äkta japansk John Wayne är öppet hånfull mot allt som heter romantik och ömhet. Hans attityd till sex är: av med brallorna och pang på. Han kliar sig gärna och eftertänksamt i skrevet när och var som helst. Han ställer sig gärna och pinkar utomhus var som helst. Fast givetvis inte i en miljö och omgivning där han är känd.

Men karlakarlen är samtidigt ytterst seriös i sin lojalitet mot dem som är beroende av honom, han är också villig att axla ansvar för dem.

Vår västerländske karlakarl är gärna unik, han skiljer sig från mängden, han lyser som en fyrbåk bland alla träigt tråkiga Papphamrar som trängs i bussen.

En japan som får veta att han skiljer sig från mängden, att han är annorlunda, blir nästan desperat i sina försök att förneka detta. Han VILL absolut inte skilja sig från mängden.

Statistiken visar att nära 80 procent av alla japanska löntagare anser sig själva tillhöra "medelklassen", och av dem anser sig 60 procent tillhöra något som de kallar "mellan-medelklass".

Åt detta kanske mången självgod svensk drar på munnen och mumlar något om fårskock och robotar. Men de som studerat Japans framgångar de senaste 20 åren, de hånler knappast åt denna japanska mentalitet, eftersom just denna självuppoffrande egenskap, kampen för gruppen, är en av förklaringarna till Japans segrar i världsekonomin.

I Japan är det alltid bättre att det råder harmoni

mellan människor än att någon hävdar och kräver sin rätt. Vi kan skriva hela böcker om ensamma hjältar som går över likhögar för att bevisa att de har rätt.

För en japan är detta ett ytterst egendomligt beteende. Då vårt beteende i västvärlden i hög grad är styrt av moraliska och etiska lagar och regler, styrs japanernas handlingar i mycket hög grad av etikettsregler.

Och etiketten kan kräva helt olika beteenden i olika situationer. Därför kan en japan vara både artig och oartig, överväldigande vänlig och oerhört bufflig.

Slutresultatet för japanernas del är i alla fall att samhället fungerar väloljat; om alla gör som de ska flyter allt, det gnisslar ingenstans. Total harmoni råder.

23. När 13 blir tur

Titta noga på knapparna i hotellhissen. Kanske finns varken våning 4 eller våning 13. Detta förekommer även i hyreshus. De är i så fall mycket marknadsanpassade. Västerlänningars skräck för talet 13 motsvaras nämligen av japanernas för talet 4.

Fyra uttalas nämligen *shi* och det låter precis som det japanska ordet för döden. Alltså undviker de flesta japaner ordet *shi* för fyra. De säger *yon* i stället, som också betyder fyra. Mycket praktiskt.

Mitt i det supermoderna Tokyo, bland alla datorer och andra elektroniska underverk, sitter små gubbar och gummor på trottoarerna. De är spågubbar och spågummor. De finaste varuhusen har också denna spåservice. På kvällarna kan man se dem sitta där på gatan, yllesjal om halsen, yllemössa neddragen i pannan, ofta med en liten ficklampa, beredda att via kundens handflata se in i den osäkra framtiden.

Inga moderna tider tycks kunna rubba människors fixering vid talens magi. Vi i väst gillar runda siffror, som 6 och 10, de är vackra, tycker många, och delbara.

Japanerna gillar vassa och spetsiga siffror, 3, 5 och 7 till exempel. "7-5-3" heter också en av årets stora högtider, då ska alla barn i nämnd ålder kläs upp i finaste stassen, flickorna helst i kimono. Sålunda pyntade förs de till närmaste tempel, obligatoriska ritualer utförs och barnet anses garderat mot otyg de närmaste åren.

Talet 8, som på japanska skrivs /\ eller som ett litet

Fujiberg, men med en liten öppning på vänster sida av toppen, är den enda runda siffra som är bra, men så är den också *mycket* bra, anser japanerna.

Öppningen nedåt och flyktvägen åt vänster däruppe är något som en japan tolkar som ytterst fördelaktigt.

Vilken turist som helst med normalt minne kan lära sig räkna till tio på japanska. Det heter *ichi, ni, san, shi, (yon), go, roku, shichi, hachi, kyu* och *dju*.

Jag har sett många nyanlända turister som snabbt lärt sig detta. Sedan går de ut på stan för att blända med sina nya kunskaper.

De har återvänt betydligt nedbländade, för trots att allt var rätt var det ändå fel. De mötte enorma svårigheter.

Vi säger t.ex. *tre* öl, eller böcker eller personer. Vi använder ordet *tre* för vilka föremål som helst.

En japan har minst 28 olika småord som måste hakas på räkneordet för att man ska förstå exakt vad det är en kund vill ha tre stycken av.

Det finns ett bestämt sådant litet ord, numerativ, för grupper av föremål – t.ex. ett för spetsiga och avlånga föremål, ett för korta och trubbiga. Ett för personer, ett för vassa och farliga saker. Ett för skor och saker man har på fötterna etcetera.

Inga av dessa ord är likt det andra.

Sålunda heter det för de där tre ölen, böckerna och personerna: tre öl: *sanbon* biru, tre böcker: *sansatsu* hon och tre personer: *sannin* hito.

Förstår du nu varför man säger att japanskan är världens svåraste språk?

Det här invecklade räknesystemet kommer från kinesiskan. Där var man tvungen att införa numerativen eftersom de kinesiska orden är så lika varandra att det

140

krävdes ord som exakt beskrev vad det var man räknade upp.

En svensk familj som fick sitt trettonde barn (på den tiden det var möjligt) kunde kanske vrida sina händer för detta arma barns skull, i den japanska familjen kunde man jubla, vårt olyckstal 13 förvandlas hos dem till ett verkligt lyckotal, barnet döps till Gohachiro (Fem-åtta) och BINGO! två av de mest lyckosamma siffrorna hade trollats fram.

Det är fortfarande vanligt att man ger barnen namn i nummerordning: Ichiro kan förste sonen heta, Saburo nummer tre och Goro nummer fem.

Japanska förnamn är intressanta annars också. Man kan ge barnet namn som visar vad föräldrarna hoppas för dess framtid. Till exempel Chokichi som betyder "Evigt varande lycka" eller Noburu, "Resa sig, avancera".

Vi fick vår yngsta flicka i Japan och eftersom detta var den största lycka som hänt oss skulle hon naturligtvis också ha ett japanskt namn. Hon heter därför Elin Karolina Sachiko – "Barn av största möjliga lycka", ett mycket vanligt japanskt flicknamn.

Somliga förnamn kan påminna om indianböckernas huvudpersoner. Japaner kan heta Torao = Tigermannen eller Mima = Vackra hästen eller Kumakichi = Lyckosam björn.

Midori (grönska) är ett vanligt både flick- och pojknamn. Vi har en väninna som fick detta namn strax efter Tokyos brandbombning. Hennes havande mor hade sålt familjens sista smycken för att kunna fly ut på landet, undan döden, askan och förgängelsen i det ödelagda Tokyo. Väl ute på landsbygden, omgiven av grönskan, överväldigades hon av en sådan tacksamhet att hon beslöt att hennes dotter skulle heta Grönska-Midori.

Som jag redan sagt är det vanligaste japanska efternamnet Suzuki, det finns mycket över 9 000 Suzuki enbart i Tokyos telefonkatalog.

Andra vanliga namn är Sato, Tanaka (Innanför risfältet), Yamamoto (Bergets grund), Hashimoto (Bergets fot) och Nakamura (Mitt i byn).

De allra flesta japanska familjenamn är ortnamn eller beskriver platser där familjen antagligen en gång hade sitt hus. Därför finns det många efternamn med anknytning till risfält, alla har de namnen ett *ta* (risfält) inbakat, som Tanaka, Ashita och Tagawa. De namnen beskriver exakt vilken typ av risfält man menar eller var fältet ligger.

Precis som många ortnamn i Sverige och Finland avslöjar att urbefolkningen, samerna, en gång bodde där, har många av Japans ortnamn sitt ursprung i urbefolkningens, ainus språk.

Den gamla shogunhuvudstaden Kamakura betyder på ainuspråket "Gå över kullen", badorten Enshima "Landsände" och till och med Japans mest heliga berg, symbolen för Japan i så många hundra år, Fuji, namngavs av ainufolket.

24. Säg det med torkat sjögräs

Under en av mina många irrfärder med Tokyos tunnelbana steg jag av tåget i misstag och hamnade på avdelningen för herrkalsonger på ett varuhus. Många av de privata tunnelbanelinjerna i Tokyo ägs nämligen av varuhuskedjor och de har fyndigt lagt sina stationer inne i varuhuset, någonstans så där på tredje våningen.

Ett japanskt varuhus ska helst av allt beses just vid öppningsdags. Turisten tror inte sina ögon. Eller öron.

Utanför entréerna står några få väntande. Där inne kan man se personalen göra lätt rörelsegymnastik vid sina diskar, gruppvis, avdelningsvis. Sen står de i klungor, anförda av en gruppchef. Det påminner lite om omklädningsrummet inför den stora matchen. Lagen peppas upp.

Dörrarna öppnas, plötsligt står där två höga chefer, de bugar och hälsar välkommen. Vi går in, hela personalen i bottenvåningen är vänd mot huvudentrén, alla bugar och ropar *IRASHAIMASE!* – VÄLKOMMEN!

Lite generade går vi mot närmaste rulltrappa. Vi är först. Så snart våra huvuden ploppat upp på plan två händer det igen. Hela personalen står vänd mot rulltrappan. *IRASHAIMASE!* dånar det, alla bugar. Vi skyndar upp till nästa våning. Det här känns lite konstigt. Tänk om de blandar ihop oss med någon annan. Kejsaren till exempel.

På varenda våning händer samma sak. Vi känner verkligen att vi är efterlängtade, högt ärade kunder. Så hälsas dagens första kunder på alla varuhus.

Vi kan göra våra inköp. Vi ska köpa en present. Detta är något som stora delar av japanska nationen sysslar med grundligt två gånger per år, plus ett otal gånger däremellan.

Den största presentperioden är vid jultiden. Inte för att japanerna är kristna. Ändå står det God Jul – på engelska – överallt. Det är inte för turister utan för japaner. Trots att mindre än en procent av befolkningen är döpt genomsyrar julandan vartenda varuhus och varenda affär under hela december månad. Det vimlar av tomtar, julgranar och White Christmas.

Jul heter *kurisumasu* på japanska, Christmas, och avslöjar varifrån denna helg kom till Japan. För japaner är Kristus ett helgon på samma sätt som de flesta betraktar Buddha eller Konfucius, varken mer eller mindre.

Det hela började något år efter andra världskriget. Ett varuhus började och snart hade alla följt efter. På den tiden fanns det 400 000 amerikanska soldater i Japan, de spred godis och presenter omkring sig på julen – alltså blev julen en högtid i Japan då barnen väntade sig godis och presenter, alla varuhus hakade på, alla andra affärer följde efter. Snart blev det kutym att vuxna japaner, alla *salarymen* tog julaftonen som en dag för allmänt festande.

Tusentals människor strömmade till barer och kabaréer. Det var fullt hålligång. Merry Christmas!

Samtidigt uppstod seden att man skulle köpa en jultårta och ta med sig hem. Nu köper majoriteten av alla japaner en jultårta på julaftonen.

Denna köprush sammanfaller med nyårshelgens köpande. Det är nämligen då japanerna ska ge presenter. Listor görs upp, hjärnor bryds, kolleger rådfrågas. Mil-

144

jontals människor går till affärerna och hundratals miljoner kronor omsätts.

Men inga av de här presenterna ges till barnen eller hustrun eller nära och kära. Detta är inga julklappar utan det som på japanska heter *oseibo*, en uråldrig tradition, en ritual.

Att ge presenter spelar en stor roll i varje japans liv. Ytterst sällan är det frågan om spontana presenter, givna i glädje och kärlek, utan det handlar om strikt formella ritualer, som när en vän, granne, släkting flyttar, får ett nytt jobb eller ska på en längre resa. Man har alltid present med sig då man går på visit. Då familjen flyttar in i ett nytt hus, går frun runt till grannarna med små presenter – för att man ska kunna börja leva i det nya området på god fot med alla.

Varje gåva ska, helst omedelbart, återgäldas likvärdigt. Om din granne på tåget ber att få se på din tidtabell ger han dig ganska snart en apelsin eller något liknande.

Vår son hade en gång vunnit en liten leksak på tivoli. Den var alldeles för barnslig för honom, men eftersom den var en vinst höll han den i handen då vi kom ombord på tunnelbanetåget.

Där mötte vi en familj med en söt liten flicka och barnen började prata med varandra. Efter en stund gav vår son tivolileksaken till den några år yngre japanska tösen.

Hennes morföräldrar, som var med, försökte genast ge tillbaka prylen. Sonen envisades. Tillbaka igen. Sonen gav sig inte.

Förtvivlat började morfar leta i sina påsar, de kom tydligen direkt från ett varuhus.

Till slut hittade han en nyinköpt och fint inslagen näsduk, med mönster lämpligt för en tuff kille i tioårsåldern.

145

Näsduken överräcktes till sonen som såg förvånad och förbryllad ut, men fattade blixtsnabbt, tackade och tog emot.

Nu lät morfar sitt barnbarn ta emot tivolileksaken, sonen behöll näsduken, alla log och bugade. Harmonin var återställd, skulderna gäldade och ingen var skyldig någon någonting.

Det sista vi såg var den glatt leende lilla japanskan som satt och vinkade med sin plastinbakade lilla tivolinalle.

Då du går på ett bröllop, måste brudparet ge en present till dig och alla andra gäster som kommit, klätt upp sig och tagit av sin dyrbara tid. Det är inga dåliga presenter som delas ut till gästerna: kapitalvaror som riskokare, radioapparater eller brödrostar är mycket vanliga. Alla gäster får likadana presenter som står uppradade i likadana påsar vid utgången. Tack och adjö, var så god en brödrost.

Då barnen har födelsedagskalas kommer gästerna med presenter och alla som går får en present som tack.

Detta är inte någon utdöende vana i Japan. Tvärtom. Det kommer ständigt nya dagar då presenter BÖR ges. Den senaste allmänt accepterade presentdagen i Japan är S:t Valentine-dagen. En undersökning visar att 80 procent av alla kvinnor mellan tio och fyrtio år ger Valentine-presenter till sina pojk- och herrvänner den 14 februari, de flesta ger choklad, livligt uppmuntrade av den japanska choklad- och godisindustrin.

Japanerna har gjort denna chokladdag till en helt egen dag genom att de endast låter damer ge presenter på detta datum, männen ska svara den 14 mars, då är det den s.k. Vita Dagen.

Presentköpandets absoluta höjdpunkt är alltså i december. Avsikten med nyårspresenten är att återgälda olika grader av tacksamhets- och andra skulder man har till sina bekanta, kolleger, läkare, lärare eller barnens lärare.

Vissa skulder, som den tacksamhetsskuld man har till äldre släktingar, viktigare lärare, kan aldrig återgäldas med en enda present, för dem är de regelbundet återkommande presentdagarna bara små länkar i den långa kedjan av moraliska återbetalningar som pågår ända tills personen avlider.

Varifrån kommer nu alla pengarna? Jo, nu är det så finurligt ordnat att alla löntagare i Japan varje årsslut får en kraftig bonus, ibland så hög som sex hela månadslöner. Bonus betalas ut, visar det sig, nästan exakt samtidigt som varuhusen och affärskedjorna drar igång sina försäljningskampanjer. Alltså är plötsligt en enorm massa pengar i cirkulation.

Under försäljningskampanjens mest intensiva dagar, i slutet av december, brukar ca 300 000 människor besöka Tokyos största varuhus – på en gång.

Då decemberrushen lagt sig och allt återgått till det normala har vi varje månad mindre obligatoriska presentdagar. Förutom dem jag redan nämnt har man naturligtvis mors dag, fars dag, pojkarnas dag och flickornas dag och alla människors egna födelsedagar. Mitt i sommaren är tiden mogen för en ny höjdpunkt. I juli har man därför *ochugen*, som ordagrant betyder "början av mitt i säsongen". Då rusar alla iväg och köper nya presenter – precis likadana som under nyårsrushen.

Japans 236 varuhus omsätter ungefär 25 miljarder svenska kronor per år! Härav är 26 procent presenter under *oseibo* och *ochugen*. Så det är betydande summor som omsätts i presenter. Tokyos största varuhus, Takashimaya, säljer för 100 miljoner svenska kronor enbart under december månad.

Vad är det som köps? Man följer några enkla regler, tanken är att inte köpa FÖR dyrt och på det sättet genera mottagaren, som då måste köpa lika dyrt tillbaka. Presenten får inte vara skrymmande, japanska hem och kontor är små. Det får heller inte vara något som far illa om det inte äts upp eller tas om hand omedelbart.

Alltså köper man praktiska, användbara prylar, sällan värda mer än 100 kr per paket.

Därför är det faktiskt så i Japan att varuhusen, som är världens mest eleganta, sänder iväg miljontals med ytterst elegant förpackade presenter (förpackningen är mycket viktig), bestående av: dunkar med salladsolja, tvålar, kaffepulver, nudlar och jättepaket med tvättmedel.

Varuhuskedjornas tio i topp toppas av 1. Torkat sjögräs (äts som snacks), 2. Konserverad mat, 3. Salladsoljor.

Alla köper, alla får presenter. En färsk undersökning avslöjar att av 195 tillfrågade husmödrar hade bara tre blivit utan presenter det året, 99 procent av dem hade själva sänt iväg paket. Medeltalet är fem presenter sända och mottagna per hushåll.

Det finns en klar fördel med att alla köper ungefär samma presenter, från samma varuhus, inslagna på samma sätt.

Då kan man helt enkelt samla sina årstidspresenter på hög, för att återanvända dem, man öppnar dem aldrig utan skickar dem helt enkelt vidare. Det är miljontals paket som på detta sätt vandrar runt mellan japanska kontor och hem, utan att någonsin bli öppnade. De fyller sin funktion, det är viktigast.

Sålunda kommer det sig att miljontals japaner varje år trängs i varuhusen, fyller i blanketter och betalar tusentals kronor för att enligt konstens, och framför allt etikettens alla regler, säga det till varandra, och man säger det allra helst med torkat sjögräs.

25. "Min lilla japan"

Japan är det enda icke-vita, ekonomiskt framgångsrika
landet i världen. Japans ekonomi är västvärldens näst
starkaste, trots att Japan är ett litet land till ytan, mind-
re än Sverige, med 120 miljoner invånare, utan några
som helst egna råvaror och ett land där 71 procent av
landytan är berg.

Japanska turistgrupper åker utomlands och till länder
dit de aldrig förr kom i större omfattning, som Sverige.

I många av dessa länder finns en djup rasistisk inställ-
ning till japaner. En stor grupp betalande turister från
USA t.ex. skulle aldrig väcka samma uppseende, ofta
övergående i komiska fniss, som då den japanska grup-
pen dyker upp.

Japanerna är de enda icke-vita människor på jorden
som har råd att betala för sig, som ofta kommer från
förhållanden i hemlandet som är mycket bättre än för-
hållandena i det land de gästar. Detta gäller också
Sverige.

Då de japanska turisterna av någon anledning anses
oerhört komiska i Sverige, är deras svar på vår reaktion
en artig bugning, en förbryllad rynkning på ögonbry-
nen. För det enda som imponerar hos oss är midnattsso-
len, de ljusa sommarnätterna och möjligtvis de barbrös-
tade badstränderna. Annars är för en japan exempelvis
Stockholm en visserligen vacker men mycket nedsliten
och smutsig stad och de svenska människorna en sam-
ling övergödda, slafsigt klädda och ofta också oerhört

slitna människor, han ser fler utslagna under en dag i Stockholm än under ett helt år i Tokyo. Han har bott på betydligt finare hotell än de svenska, ätit godare mat och i synnerhet fått en avsevärt bättre service i många andra länder, inte minst i hemlandet.

Det fanns en tid då den svenska bilmarknaden klart dominerades av brittiska bilar, då alla motorcyklar var brittiska eller amerikanska, då alla våra kameror var tyska.

I dag kommer en mycket stor procent av allt detta från Japan, men då använder man ofta ord som att de japanska produkterna "översvämmar" marknaden, man talar om "japanska offensiver" på marknaderna. De krigiska termerna går igen i många uttryck, japanska "attacker", t.o.m. "invasioner" är mycket vanliga då svenska och europeiska massmedia ska beskriva det som man förr entusiastiskt beskrev som brittiska exportframgångar eller tysk överlägsen kvalitet som slår ut allt annat.

Uttryck som "min lilla japan" då man menar sin räknedosa är fraser som späder på denna anti-japanska rasism som sitter mycket djupt i Europa.

Européernas förvirring är kanske störst hos dem som av olika skäl måste bo i Japan, ditsända av sina företag. Många av dem har tidigare varit placerade i riktiga u-länder som Thailand eller Indien, de kommer resande till Japan med samma massiva europeiska övertygelse om den vite mannens överlägsenhet, som de en gång reste ut med.

Men Japan är det enda icke-vita landet där européer finner sig totalt uppslukade av ett folk som är icke-vita, där ytterst få talar främlingens språk, men där levnadsstandarden ofta är högre än i européns hemland och där

151

folket inom många områden, både tekniska och mänskliga, nått mycket längre än i Europa.

Dessa fakta skapar ofta en mycket aggressiv inställning till omgivningen från européns sida.

Få folk på jorden är så konstant intresserade av hur världen ser på dem som japanerna. Periodvis, det var värst under 70-talet, översattes och trycktes i massupplagor samtliga utländska skildringar av Japan, de som såldes bäst var de som var mest kritiska.

Men då den förre japanske ambassadören Ichiro Kawasaki i sin bok: "Japan utan mask" beskrev det japanska folket på detta sätt: "Japanerna är troligtvis den fysiskt minst attraktiva rasen i världen, med undantag för pygméer och hottentotter", då hade han gått för långt. Hans karriär var slut. Men boken såldes i mycket stora upplagor i Japan. Att han stoppades berodde naturligtvis på att han var japan och borde veta bättre. I alla fall borde han veta att han i sina beskrivningar av i synnerhet japanernas utseende inte bara trampat på sina landsmäns ömmaste tå, han hoppade på den med vässade spikskor. Japanerna kunde acceptera mycket kritik men om man nedsättande jämförde deras utseende med andra rasers, då var måttet rågat.

Då den här best-seller anti-japanska vågen var som starkast på 70-talet, var det en månad då inte mindre än sju av den månadens tio mest sålda böcker i Japan just var våldsamt anti-japanska, skrivna av utlänningar.

Så småningom svängde pendeln, då blev det inne med våldsamt pro-japanska böcker, ju mer hysteriskt man beundrade Japan desto bättre såldes böckerna. Den här vågen sammanföll i tiden med den period i slutet av 70-talet och början av 80-talet då Japans ekonomi blev allt starkare och då allt fler japaner kunde

152

göra internationella jämförelser, och de såg att Japan på många sätt klarade sig bättre än omvärlden.

Naturligtvis orsakade detta pro-japanska, nationalistiska känslor hos japanerna själva.

Bakom det japanska intresset för vad omvärlden tycker och tänker finns många förklaringar, en av dem är den grundmurade japanska övertygelsen om att ingen utlänning någonsin kan förstå Japan, att Japan och japanerna själva är något unikt i världen. Varje ny bok som kritiserade dem eller överöste dem med beröm och egenskaper de inte hade, varje sådan bok bara bekräftade japanens övertygelse om att världen aldrig skulle förstå dem, att de var något alldeles extra.

All kritik mot Japan avvisas av japanerna med frasen "Ni förstår oss inte". Då handelspolitiken ibland närmar sig gränsen för handelskrig, brukar japanska regeringen skicka ut delegationer till de mest upprörda länderna – bara delegationen fått förklara den japanska ståndpunkten, ska känslorna svalna och allt bli bra igen, för om omvärlden bara förstår Japan, då finns det inga problem.

För japanen är detta helt självklart. Det japanska ordet för "förstå" betyder nämligen också "hålla med om, acceptera". Så då en japan säger att han "förstår dig", då säger han också att han accepterar vad du säger.

Därför är det alltid förbryllande för japanerna då utländska politiker och journalister lyssnat på dem ett tag och sedan säger, "jag förstår era synpunkter, men ni har inte rätt, ni måste ändra er". För en japan är det alltså omöjligt att förstå och samtidigt inte acceptera.

Huvudskälet till att Japan framstått som ett mysterium och att så få "förstått" Japan är naturligtvis att

153

Japan till för hundra år sen var ett mysterium, ingen fick ju åka hit, Japan släppte inte in någon.

Kulturen och japanskt beteende är varken lättare eller svårare att förstå (jag använder nu ordet förstå i vår betydelse) än andra kulturer som varit eller är isolerade och som finns bland folk som talar egna, isolerade språk.

Huvudproblemet är språket – och det är vårt, utlänningarnas problem, inte japanernas.

Japanska språket är ett av världens absolut svåraste, det kräver mycket hårda studier under en lång tid, i synnerhet skriftspråket, men västvärldens kontakter med Japan har nu varit så omfattande under så många år, att det inte längre finns någon giltig förklaring eller ursäkt till att så få utlänningar lärt sig japanska. Av de ca 700 svenskar som just nu bor i Japan, många har bott här i över tio år, talar kanske fem hygglig japanska.

Det finns journalister som bott i Japan i över tio år, men som ändå inte ens kan läsa en enda skylt eller klara den enklaste konversation på japanska.

Vänd på situationen: om vi hade samma proportion japaner i Sverige skulle det betyda att det fanns över 120 000 japaner i landet, av vilka högst ett sextiotal klarade sig på bruten svenska och det fanns japaner som rapporterat från Sverige i över tio år men som inte ens klarat en enda nyhetssändning i radio eller TV, inte kan läsa en enda svensk tidning.

Givetvis skulle vi undra vilken rapportering de gör, vilken inställning alla dessa människor har till vårt land, vårt språk, vår kultur.

Japan som har fått denna stora ekonomiska betydelse i västvärlden, har skapat sin maktposition utan understödjande militärbaser, det finns inga japanska trupper

154

någonstans, inga japanska kolonier. Det bor färre japaner utomlands än svenskar, och det reser långt fler svenskar utomlands än japaner, både procentuellt och i faktiska siffror räknat.

Ytterst få utlänningar kan namnge en enda internationellt känd japan. Det finns inga, eller ytterst få, japanska politiker som gjort karriär utomlands, eller administratörer som nått topposter inom de mäktiga internationella organisationerna.

Förklaringen till detta är inte världens rasistiska inställning till Japan, utan det japanska systemet.

Det är aldrig någon merit i Japan att ha varit utomlands några år. Tvärtom. En japan, som lärt sig ett annat språk flytande och som bott flera år i ett annat land, betraktas med lite misstänksamhet av sin omgivning. Han har förlorat något av sin japanskhet, han är inte längre som en av dem.

För affärsmannen eller vetenskapsmannen är åren i utlandet ofta ett allvarligt avbrott i karriären. Han har inte kunnat bevaka sina intressen på hemmaplan, han förbigås.

Affärsmannens barn, som alltså bott utomlands, kan aldrig komma in i de rätta skolorna i hemlandet. Därför är det mycket svårt att få barnfamiljer att bosätta sig utomlands. När en japansk anställd beordras utomlands väljer han ofta att lämna familjen kvar i Japan. Vanligen har han ingen hemresa till Japan under åren i utlandet. En japansk utrikeskorrespondent kan vara placerad i t.ex. Singapore eller New Delhi – då ska han ju inte vara i Japan, anser arbetsgivaren. Jag har träffat en japansk kollega som inte har varit hemma på sju år – först var han placerad tre år i Kairo, sen i Indien.

Den japanska språkundervisningen är också sådan att

de flesta japaner inte kan uttrycka många meningar på utrikiska trots att alla som gått ut skolan och alla som tagit akademisk examen läst engelska i minst tio år.

Det är, som jag redan nämnt, bristen på möjligheter att höra det utländska språket talas, bristen på övningstillfällen och den japanska fruktan att tappa ansiktet inför främlingar som gjort att japanerna ofta behärskar engelska flytande i skriven form men med svårighet kan yttra en mening.

Jag har träffat en professor i franska som knappt kunde göra sig förstådd på franska, men som lär ha gjort lysande översättningar från franska till japanska.

Allt detta har gjort att det finns, procentuellt sett, få japaner som har den utbildning som behövs för att de lätt ska kunna gå in i en internationell organisation.

Trots att Japan är en av FN:s största bidragsgivare har Japan bara ca 80 anställda inom hela FN-organisationen. Sverige har fler.

Japan kräver sen flera år tillbaka att få en permanent plats i FN:s säkerhetsråd. Man menar att Japans ekonomiska ställning i världen och inte minst de mycket stora summor Japan betalar till FN skulle motivera en sådan plats. Ungefär som då en investerare i ett företag kräver plats i direktionen.

Japan ger, procentuellt sett, mycket stora summor i u-hjälp varje år, men om man tittar närmare på dessa summor och vad pengarna går till, visar det sig att majoriteten, ca 99 procent, går till *japanska* projekt i u-länderna.

Japans motsvarighet till SIDA-chefen tillfrågades nyligen om det någonsin hänt att japanska pengar gått till ett icke-japanskt projekt. SIDA-chefen stirrade häpet på den svenska SIDA-man som hade ställt frågan; så

156

slog japanen näven i bordet och med kraft och tyngd utbrast han: "Aldrig så länge jag suttit vid detta bord har våra bidragspengar gått till någonting annat än japanska projekt."

För honom var det något alldeles självklart. All japansk utrikespolitik har ett enda mål: att gynna japanska intressen.

Nu finns det utlänningar som blir oerhört upprörda över detta.

Men det är väl inte märkligare att Japan driver en helt pro-japansk utrikespolitik än att USA, Sovjet eller Storbritannien driver linjer där man i varje läge vill stödja, gynna och förstärka det egna landets intressen.

26. Under körsbärsträden

Körsbärsblomman står som symbol för Japan i utlandet. Körsbärsblomningen är också en av årets största högtider för japanerna. Den exakta dagen i april då blommorna ska slå ut i Tokyoområdet förutspås av verkliga vetenskapliga experter med samma allvar och tyngd som man förutspår kungliga förlossningar.

TV-nyheterna visar på stora kartor hur de första blommorna slår ut nere på Okinawa, Japans varmaste del, det kan ske redan i mars, så drar blomman upp över öarna och slår ut någon gång i maj i norra Hokkaido. På varje ort är blomsterdagarna verkliga festdagar. Blomningen varar sällan en hel vecka. Men då blommorna kommer, är våren här, det är ett osvikligt tecken.

Den första körsbärsblomningsdagen är man alltså högtidligt stämd. Man samlar de sina och man är beredd att gå ut och uppleva något stort och märkligt.

Redan på trottoaren utanför upptäcker man att någonting särskilt är i görningen. Det är en svart flod av människor på väg förbi vår port in mot närmaste park. Det är en folkmassa lika tät som den som väller ut ur ett fullsatt fotbollsstadion. Den här folkmassan väller upp ur tunnelbanan, fullkomligt rinner fram runt hörnet.

Vi hoppar in i floden och flyter, långsamt, steg för steg, ibland behöver vi inte ta några steg alls, man hänger med i alla fall. Stämningen är god, alla är finklädda, många bär på påsar och kassar. Vi är alla på väg till körsbärsblommans födelsedag.

Till slut inser man att man redan kommit in i parken. Inte för att man hör någon fågelsång, snarare vrål, skrål och allsång, och dånande popmusik från medhavda bandspelare med stereohögtalare.

Nej, plötsligt ser man en sagolik blomsterprakt strax ovanför det svarta havet av huvuden. Det blommar rent otroligt. Folkmassan ringlar in under träden, bort längs alla gångar. Plötsligt upptäcker man en tom fläck, men så ser man att där på fläcken (en stor svart filt) sitter en ensam ung man i mörk kostym, vit skjorta och slips. Hans välborstade skor står prydligt ställda utanför filten.

Han är utsänd från något kontor för att hålla en bra plats då personalen kommer till kvällen, efter kontorstid. Han är utsänd av kontorschefen, för körsbärsblomningen är en av de få gånger varje år då personalen på Japans kontor och arbetsplatser kopplar av med firmafest.

Men eftersom det, konstigt nog, fortfarande är så i Japan, att blommorna kan slå ut en helt vanlig vardag mitt i veckan, kan personalen inte anslå sin lediga söndag, som man normalt annars gör för nöjen, nu kommer alla då arbetet är färdigt för dagen.

Nu, i nattlampans sken, då solen gått ner och vårmörkret dragit in över stan, nu inleds de tusentals personalfesterna under de förvånade körsbärsträden. Medhavda lampor och parkbelysningen lyser upp skådespelet.

Nu utbryter något som närmast liknar de gamla, riktiga Bellmansfesterna i Hagaparken utanför Stockholm. Men eftersom detta är Japan, är det ändå vissa skillnader. Här är 99 procent av männen klädda i mörka kostymer med vita skjortor och slipsar. I alla fall var de klädda så då de kom.

Kvinnorna har prydliga dräkter eller klänningar på sig, som i Sverige kanske numera bara förekommer vid enstaka damluncher på övre Östermalm. Stämningen är dock oerhört god, risvinet, saken, rinner ur stora medhavda tre- och femliters flaskor. Som alltid då japanerna dricker alkohol, blir de flesta illröda i ansiktena och grips av obändig vilja till sång och lek.

Alla leker. Ingen vägrar. Där kan sitta vuxna gubbar i medelåldern och leka motsvarigheten till ett skepp kommer lastat. De kanske ordnar lekar där man hoppar på ett ben eller ska härma grodor eller kossor.

Ganska snart har hela detta böljande, drickande folkhav i lampans sken under körsbärsblommorna blivit ett fnissande, skrattande, tjoande folkhav. Oftast och för de flesta blir det inte mer än så. Polisingripande är ytterst ovanligt, bråk och slagsmål inträffar praktiskt taget aldrig.

Körsbärsträden står där med sina svarta stammar och vita blommor och efter några dagar snöar blommorna till marken. I de flesta parker täcks då marken med ett lager som är tjockare och vitare än det snötäcke som brukar täcka marken i Stockholm under de skämt till vintrar vi haft under senare år. Om det nu mulnar till i Tokyo och samtidigt ett kallt regn faller, då ser det exakt ut som en vinter där hemma.

Den här körsbärsblomsorgien i Tokyos alla parker och i varje japansk stad sker helt utan polistillstånd, utan att myndigheterna underrättas. Det går tydligen bra i alla fall. Kravallpolisen står kvar där den brukar, vid ryska ambassaden och ute vid den aldrig färdiga flygplatsen. Här kan man tydligen få ta sig en bläcka och koppla av på allmän plats och ändå behandlas som vuxen och fullt normal.

I Japan sammanfaller körsbärsblomstiden med den vårliga, årliga offensiven för fackföreningarna. Den kallas för våroffensiven.

De japanska löntagarna har i dag lika bra löner och ibland högre än sina europeiska kolleger, och de flesta har fått rejäla lyft varje år. Fackföreningarna kräver ca 15–18 procent och får i regel 7–8 procent utan större smärta för någon. Japan är ju ett land det gått bra för, det är bara de allra senaste åren som lyften varit lägre.

Varje våroffensiv följer sina bestämda regler. En japansk fackförening skulle dra sig i det längsta för att ställa till besvär för allmänheten. Så när personalen på en bank en dag anser att NU går det för långt, NU måste vi sätta hårt mot hårt – vad gör man?

Jo, personalen knyter röda bindlar om pannorna, ungefär som piraterna förr i världen, på bindlarna kan det stå med djärvt målade kinesiska tecken: Kämpa för våra krav... eller något liknande. Sen sitter de kvar på sina vanliga jobb och sliter effektivt och koncentrerat som vanligt.

Bankens ledning står någonstans långt borta, dold för oss alla, vridande sina händer, blossande av skam och rodnad. Ingen av bankens kunder säger något eller frågar något om vilka krav som ställts. Budskapet är ute i alla fall.

OM bankledningen nu ändå inte skulle ge med sig, då trappar man upp, fram med det grova artilleriet. Strejk. Men strejk på japanska. Kunderna och affärerna får inte bli lidande.

Nej, plötsligt en lunchrast, rusar hela personalen iväg, sätter sig på gatan utanför banken, pannbindlar på, plakat i luften. Där sitter de, ibland kan de rentav ropa slagord. Nu är det strejk.

Nu är lunchrasten slut och alla är tillbaka på sina platser.

Där fick ledningen sig en ordentlig knäpp. Har cheferna nu inte tagits in på närmaste sjukhus för intensivvård, är det mycket troligt att de darrande av vrede, skam och uppgivenhet skriver på en uppgörelse.

Det HÄNDER att allting pajar, att det blir strejk på allvar, att tunnelbanelinjerna och förortstågen stannar. Men det behövs mer för att knäcka det japanska folket. Japan stänger inte.

Redan kvällen innan ser man att något är i görningen i centrum. Lastbilar med madrasser dyker upp. Det är tänt hela kvällen på kontoren. Tusentals anställda ligger över på sina arbetsplatser. Särskilda firmor lever på att hyra ut sängutrustning för såna här improviserade övernattningar.

I gryningen, och långt innan, vaknar det tåglösa folket. De äter frukostris och klär på sig som vanligt, samt går till jobbet. Just det, GÅR. De vandrar längs tåglinjerna, oftast faktiskt bokstavligt talat på räls och syllar. De flesta skulle aldrig hitta till stan någon annan väg. Där ringlar så myrstigar av tiotusentals idoga och lojala tokyobor på väg till sina arbeten, som alltid korrekt klädda i kostym, vit skjorta och portfölj.

Sveriges Television har sitt kontor i det nationella japanska radio- och TV-bolagets huvudbyggnad i centrala Tokyo. Här driver fackklubben sin våroffensiv som klubbarna gör på alla företagen. Det ser oerhört revolutionärt ut. Kvinnor och män går runt i radiohuset med röda armbindlar. Det ser ut som om någon röd brigad tagit över verksamheten. Men arbetet löper som vanligt. Facket brukar ta ut vissa grupper för strejkaktioner, deras arbeten utförs då automatiskt av cheferna på den avdelningen. Det är regel. Ingen ingriper mot detta. Cheferna jobbar sida vid sida med fackets lojala medlemmar med sina röda armbindlar.

En gång blev det faktiskt strejk i nästan hela företaget. För säkerhets skull varnades alla i god tid. Omedelbart satte varje avdelning igång med snabbproduktion av ett extra reservprogram. Stora lager av färdiggjorda program stuvades på hyllorna. Sista kvällen arbetade alla över och då den ordinarie personalen till slut gick hem för att strejka, lämnade de ordentligt över sina rapporter och listor på vad som gjorts till sina avdelningschefer, som fick veta vilka knappar de skulle trycka på och hur allt skulle skötas.

Nästa dag rasade strejken för fullt. Men TV-tittare och radiolyssnare märkte knappast något. Programmen flöt som vanligt. Strejken pågick i fem fulla dagar och till slut fick personalen igenom sina krav. Sedan denna gruvliga läxa har det aldrig behövts mer än röda armbindlar i radiobolagets korridorer.

27. "Äter de *fortfarande* med pinnar!"

Snusförnuftig svensk på spaning i det okända Tokyo upptäcker redan efter någon timme att japanerna äter med pinnar.

"Äter de FORTFARANDE med pinnar?" har jag hört en och annan inte bara förvånad, men likaledes korkad svensk utbrista.

Fortfarande? Japanerna åt med pinnar långt innan svenskarna fått det rätta greppet om kniv och gaffel.

Med pinnar äter tusen miljoner kineser och många hundra miljoner andra människor i Sydostasien och Korea.

Turisten som lätt förvirrad för första gången ska ta itu med detta problem har det inte lätt på japansk krog. Pinnarna sitter nämligen ihop i ena änden. Som en tätt sluten träpincett, ungefär.

Men innan du nu försöker peta i dig mat med detta redskap ska du veta att pinnarna ska slitas isär. Det går med ett snabbt ryck. Bli nu inte generad om den ena pinnen är fem centimeter lång och den andra av normallängd, förstärkt med resten av den andra pinnen, fortfarande som klistrad fästad vid sin storebror.

Be om en ny uppsättning. Detta är helt normalt. Men du kan lika gärna be om kniv och gaffel, för de flesta japaner förutsätter att du vill äta med kniv och gaffel.

Vi andra kämpar vidare. Det är inte svårt, varje turistbok har skisser på hur man ska hålla. I början får du kramp som om du nyss skrivit rent hela "Borta med vinden" för hand. Men krampen beror helt enkelt på att du håller för hårt. Håll alldeles lätt som om du greppade en mycket tunn och spröd pensel av antikt porslin som när som helst går av. Nåja, soyastänk på skjortan och rå fisk i famnen får man räkna med i början.

Normalbegåvad svensk lär sig detta på någon timme – alltså ska du klara det på en kvart.

Nu vågar du helt djärvt se dig om och upptäcker att gamla japanska farbröder som ätit med pinnar hela livet håller sina matbestick totalt felaktigt, de har inte lärt sig någonting. Om du höll dem på samma sätt hade du inte ens fått upp dem till munnen, än mindre någon mat.

Konsten att äta med pinnar är alltså mycket individuell, lika personlig som din handstil.

Japanerna är ett mycket hygieniskt folk, för dem vore det en avskyvärd tanke att stoppa matbestick i munnen som någon redan haft i sin mun, även om besticken blivit sköljda.

Därför är engångspinnarna så populära. Diskmöjligheterna är också mycket primitiva i japanska kök.

Men den stora mängd pinnar som går åt varje dag över Japans land, de motsvarar hela skogsområden i Sydostasien, områden som nu sakta råavverkas, det rör sig om hundratusentals ton trädstammar som huggs ner och skeppas direkt till Japan, där pinnarna snidas till. Någon återplantering sker icke.

Pinnarna kom till Japan från Kina redan på 700-talet, och precis som kniven och gaffeln hos oss spred sig till folket via hovet och överklassen, spred sig pinnarna nedåt från det japanska hovet och stormännens bord.

Pinnarna är oftast av något lätt träslag som balsa eller sandelträ. Men det finns exklusiva varianter av guld, silver och elfenben.

165

Då du till slut ätit dig mätt kanske du helt praktiskt vill ställa pinnarna att stå rätt upp i det som finns kvar av riset.

Om du gör det sprider det förstämning i lokalen. Så placerade pinnar, stående upp i maten, förekommer i Japan bara i samband med ritualerna för avlidna.

Samma sak om du räcker över mat till någon som tar emot den direkt med pinnarna. Så gör man bara vid begravningsceremonierna, då den dödas ben krafsats ur elden efter kremeringen och tas emot av de anhöriga.

Lägg ner maten direkt på den andras fat.

Skulle du nu ha begått dessa misstag och dessutom brutit av den ena pinnen under måltiden är det bäst att du lämnar lokalen. Avbrutna pinnar är ett mycket säkert tecken på nära förestående olycka.

Men man kan gardera sig mot olyckor. Om du är på picknick t.ex. och efter avslutad måltid tänker slänga pinnarna så bryt av bägge två på mitten – annars kanske en djävul kommer och tar dem för att använda dem i något djävulusiskt ont uppsåt. OBS! Detta gäller alltså engångspinnar – inte din gode väns ärvda klenoder från 1600-talet.

Nu, käre läsare, är du ordentligt uppskrämd. Ta det lugnt. Du är utlänning och det räcker för en japan. Av dig förväntar han sig inte något annat än galenskaper. Slå dem därför med häpnad, träna en stund och ät med pinnar, du också – tusen miljoner kineser kan inte ha fel!

28. Är Japan amerikaniserat?

För många utlänningar som kommer till Japan är mötet med Tokyo en chock, som ofta kan utmynna i besvikelse – det är ju inte ett dugg exotiskt, det är ju en blandning av Ruhrområdet och Chicago, västerlandet när det är som sämst. Och inte ser man fler människor i kimono än vad man ser folk i hembygdsdräkt i Sverige, Japan är ju totalt amerikaniserat – utbrister den världsvane svensken.

I kvarteren där jag bor i Harajuku finns Tokyos ledande boutiquer för tonåringar, här kan man se de senaste trenderna trängas på trottoarer och på kaféerna. På söndagarna översvämmas området av miniatyrkopior av Elvis Presley och amerikanska 50-talstjejer i stärkta underkjolar och med rosetter i håret. Det ser inte klokt ut. Det är ungefär så långt från européns drömbild av hur det bör se ut i Japan man kan komma.

Men innan du dömer ut ett helt folk måste du gå lite djupare. Bara för att det för några år sedan i vissa kretsar i Sverige var inne med Kina- och Vietnaminspirerade kläder, övertog man inte den kinesiska eller vietnamesiska kulturen, åsikterna, sättet att äta och vara.

Japan är inte på väg att utplånas eller gå under som kultur – tvärtom. Den "amerikanisering" som nu sker är ett fenomen som skett förut i Japan och som i själva verket är Japans styrka och förklaring till att Japan är så starkt och framgångsrikt som det är.

Japan är en isolerad ökultur. Periodvis har man medvetet och aktivt stängt världen ute, periodvis har man öppnat sig.

Men fram till andra världskriget hade Japan aldrig varit ockuperat av utländska trupper, aldrig behärskats av en främmande makt.

Se på Kina t.ex., en stark egen kultur som besegrats flera gånger i krig, som många gånger erövrats av främmande makter, men som aldrig låtit sig påverkas i nämnvärd grad. Åren har gått och den främmande maktens soldater har blivit kineser själva, och för kineserna bevisade detta ännu en gång den egna kulturens överlägsenhet.

Kineserna skickade inte ut egna forskningsexpeditioner. De kom till Kina i stället, de förde med sig utländska uppfinningar, kuriosa som ställdes på hyllorna hos kejsarna. Kina hade inget att lära.

Kina gränsade till öknar eller länder som inte var lika avancerade, som inte nått lika långt kulturellt eller ekonomiskt. För kineserna låg därför Kina självklart i världens centrum, Kina var Mittens Rike.

Ett väldigt land med många olika minoriteter och många språk, men där han-kineserna härskade. En förutsättning för att styret skulle behållas och han-kineserna fortsätta behålla sin makt var att det fanns en effektiv inre organisation, en stark maktapparat.

Resultatet blev en rigid kultur, självsäker i glansen från sin flera tusen år långa historia, stolt och självmedveten. Men utan öppenhet, utan flexibilitet, helt riktad inåt, och därför saknade man förutsättningar att snabbt anpassa sig då världen förändrades och nya tider krävde snabba handlingar av Kina.

Japan utvecklades på ett annat sätt. Japanens urfader

var inte en, utan många och de kom från norra Kina, Manchuriet och Korea, andra kom söderifrån, Oceanien och områden med malajiskt inslag.

Invandrarna drev det ännu tidigare invandrade ainufolket, av oklar härkomst, norrut.

Under århundradena växte det fram en unik japansk kultur, med egen religion, eget språk, men utan betydande nationella minoriteter.

Den här kulturen stod betydligt under grannländernas på andra sidan havet, Korea t.ex. Därifrån kom nu den första vågen av påverkan. Med koreanerna kom den kinesiska kulturen till Japan, det kinesiska skriftspråket, buddismen, hantverkskonsten.

Japanerna tog efter, anpassade det nya till japanska förhållanden och hade snart omvandlat det till något eget japanskt.

Så småningom kom flödet direkt från Kina och den ström av kulturella impulser och tekniska kunskaper som japanerna då fick från Kina var så betydelsefull att konsekvenserna för Japan knappast går att överskatta.

De japanska härskarna tog emot det nya, omformade det, använde det man behövde i den egna maktkampen, för egna syften.

Några hundra år senare var det helt accepterat av japanerna som någonting unikt japanskt.

Nästa kontakt med främmande kulturer kom med de kristna missionärerna och inte minst den väpnade eskort och de handelsmän som helt finurligt samtidigt anlände till Japan.

Varje möte med en ny och främmande kultur, som på något område varit överlägsen den japanska, har väckt japanernas intresse. Man har studerat det nya starka som imponerat och sedan tagit till sig det man kan ha nytta av.

Denna förmåga har gjort att Japan aldrig blivit efter i den historiska utvecklingen och heller aldrig låtit sin egen särart försvinna eller utplånas.

Man tar vad man vill ha av det främmande, omvandlar det till något japanskt och går vidare.

I de flesta japanska hem i dag finns t.ex. ett altare för den japanska religionen, shinto; tätt intill kan det stå ett litet buddistiskt miniatyrtempel. Fadern kommer hem klädd i kostym och slips, familjen kan sitta och äta *tempura,* friterad fisk, som är en portugisisk uppfinning och efter maten sätter sig alla och tittar på TV.

Men fadern tog kanske av sig kostymen och satte på sig en *yukatta,* ett badrocksliknande plagg med brett skärp, familjen åt kanske en portugisisk rätt, men man satt på golvet på tatamimattorna. Och fadern tog sig kanske ett bad i familjens badkar av trä, och sen en kopp sake ur de små sakebägarna. Han tog kanske fram sin elektroniska räknedosa men lade den sen ifrån sig vid *takonomon,* alkoven i rummet, med bildrullen på väggen och blomsterarrangemanget framför.

Varje japanskt hem, liksom det japanska vardagslivet, är alltså genomsyrat av strömningar och inflytanden från många håll, men i allt det nya finns hela tiden det unikt japanska kvar.

Dagens tonåringar som dyker upp i mina kvarter i Harajuku i Tokyo, de har aldrig varit i USA eller i något annat utland – för dem är de amerikanska kläderna och de senaste trenderna i boutiquerna typiska *Harajukukläder,* inte amerikanskt 50-tal.

Då dagens affärsmän ser ut som västerländska affärsmän är det en modefråga och en praktisk fråga och betyder inte alls att japanerna är eller ens vill vara som i västerlandet. De är och förblir japaner, medvetna om sin särart.

Den självgode svensken kan kritisera japanerna för att de "tar efter" andra folk och kulturer. Detta säger då en svensk som talar ett språk som till största delen härstammar från tyskan. Vad är unikt svenskt i Sveriges kultur? Hur många tankar och åsikter har inte först kommit från kontinenten och har sitt ursprung någonstans i östra Medelhavet?

Lika lite medveten som dagens svensk är om det oerhörda kulturarv som kommer från Grekland, är dagens japan om arvet från Kina. De flesta japanska skolbarn är övertygade om att skrivtecknen är japanska uppfinningar och de blir förvånade då de ser att Kina "också" använder japanska tecken, liksom att kineserna "också" äter med pinnar.

Resultatet av århundradens förmåga att uppta främmande tankar, uppfinningar och modeprylar, samtidigt som man hela tiden bevarat något unikt japanskt, har lett till att dagens japanska kultur är så mångskiftande och ibland kan verka så svårförståelig.

Därför kan många tycka att japanerna är ytterst moderna och avancerade – samtidigt som de är gammalmodiga och konservativa. De kan verka känsliga, samtidigt som de kan verka kallblodiga. De kan vara både förfinade och fruktansvärt buffliga, de kan vara stora esteter och skönhetsälskare, samtidigt som de verkar smaklöst vulgära.

Svårigheten att förstå detta ligger inte hos japanerna, utan hos oss själva. Det är vi som måste förstå att man kan vara både-och, att det inte i alla lägen måste vara som man tror i Sverige, antingen-eller.

Man kan se ut som en amerikansk swingpjatt, men samtidigt vara hundraprocentigt japansk i tankar, ord och gärningar.

29. Ta en tugga till – se döden på dig väntar

Det finns svenskar som menar att surströmming skulle vara något alldeles särskilt att bjuda utlänningar på. Mat som så att säga bjuder mycket mer än fyllnad i magen. Mat som kräver mod och beslutsamhet, men också ger upphov till många och roliga berättelser efteråt.

Japan har något som ingen annan har av mat som kräver mod och beslutsamhet, *fugun*, blåsfisken.

Det är en ca 40–50 cm lång krabat som då den blir skrämd blåser upp sig på det hotfullaste vis, den ser ful och taggig ut och ingen normal människa skulle ens få lust att smaka på den. I synnerhet inte då man vet att den är ett av världens giftigaste djur, giftigare än den farligaste giftorm.

Den fisken är en av Japans stora delikatesser – men bara för dem som vill leva farligt.

Varje år brukade ibland upp till över hundra människor som åt av fisken dö knall och fall. Och de dog verkligen plötsligt. En fuguätare, som fått giftet i sig, kastar sig baklänges på det mest dramatiska vis och under ohyggliga kramper och vrål avlider han inom några minuter. Förmodligen förstörande aptiten för alla medgästerna på restaurangen.

För några år sen tyckte myndigheterna att det hela gick för långt. Eventuellt styrdes myndigheterna av starka fugurestaurangintressen. Nu får bara vissa restauranger servera fisken och kockarna måste ha licens, ungefär som vi inte släpper fram vem som helst till operationsborden på våra sjukhus.

Den som rensar en fugu måste nämligen ha lika känsliga fingrar och vara lika stadig på handen som den mest avancerade hjärnkirurg.

Giftet ligger i små blåsor nära levern. Om kocken har sönder blåsorna kan giftet sippra ut och förstöra fiskköttet. Men detta kan man inte se med blotta ögat eller känna med luktsinnet. Det är bara att ta en tugga. Tyvärr är fugu-provsmakaryrket ett verkligt engångsjobb.

Det är klart att mat omgiven av så mycken dramatik väcker ett visst uppseende.

Som allt annat i Japan har naturligtvis uppläggningen av fisken och serveringen utvecklats tiil en raffinerad ceremoni, och fugukultens anhängare samlas de tre– fyra månader per år då fisken anses ätlig med samma andakt som hemliga brödraskap samlas till sina ordensgillen.

Det finns de som driver sporten till det yttersta, smakar på levern också, ända fram till kanten av blåsorna. Gärna så nära att läpparna blir nästan förlamade – ett slags kyss med döden.

Naturligtvis går det åt stora tunnor med sake. Den som så nuddat vid dödens portar, den rutschar gärna tillbaka till livet igen med ett tjosan, buren på floder av sake.

En gång skulle jag göra ett reportage för Expressen från en sådan här restaurang.

Eftersom jag under den perioden åkte som en skottspole mellan Sydvietnam och Kampuchea och varje månad upplevde världens ondska och elände på nära håll, ansågs jag väl särskilt lämplig att rapportera om fugufisken.

Ungefär samtidigt hade en av Japans mest kända kabukiskådespelare avlidit under ett restaurangbesök. Publiciteten var stor, uppståndelsen likaså, naturligtvis påhejat av fugukrögarnas förbund. Hela kulten och näringen vore ju meningslös om man inte då och då hade dessa dramatiska offer, helst så kända personer som möjligt.

Jag vågade inte gå ensam, nordisk kamrat övertalades, japansk tolk engagerades. Vi avtågade en kulen vinterdag.

Uppladdningen var dramatisk redan den. Jag hade läst på ordentligt, giftet skulle vara värre än cyankalium. Dödskramperna fruktansvärda.

Jag försökte förklara för min nordiske vän att risken för att något skulle hända var minimal, argument som att "precis som i krig överlever ju de flesta" och "det är faktiskt ganska få restauranggäster numera som förgiftas" verkade inte pigga upp honom precis. Eftersom brottet numera är preskriberat, måste jag faktiskt erkänna att vi tog både ett och två raka järn på rummet innan vi sålunda var beredda att offra oss för det "Fria Ordet".

Det var nästan fullsatt i lokalen. Bara män, de flesta i skjortärmarna, många av sällskapen var röda i ansiktena av sake och upphetsning, vilda vrål hördes, hurrarop. Ett helt sällskap kunde plötsligt höja bägge armarna i luften och med knutna nävar hojta *BANZAI!* Det betyder hurra, men ordagrant tio tusen år. Vi skulle snart förstå varför de ropade så.

Vi satte oss vid anvisat bord. På golvet. Det gör man på japanska krogar. Min nordiske vän, klädd i kostym och väst, uppmanades av personalen att sätta sig ännu en gång, han var nämligen så lång. Till slut hittade han

174

en ganska bekväm ställning, halvliggande till bords. En ställning som för övrigt var den han började föredra, eftersom allt det han hällt i sig till stärkelse och mod plötsligt försvunnit.

Vi beställde in fisken och sakekrus. Vi drack nervöst pratande och skrattande, sneglande mot borden omkring. Där åt man så att det stod härliga till.

Efter varje avklarad rätt kom vrålen. Det var därför de hurrade. Banzai – Lycka i tusen år! De var klara. Vi hade inte ens fått in vårt. Vi fick vänta, länge. Hoppet steg.

Men naturligtvis var fisken inte slut, det kom in hur mycket som helst.

Fiskköttet är mycket vackert, pärlvitt när det är som bäst. Det serveras skuret i florstunna skivor, konstnärligt upplagda som blommor. Först soppa, sedan fisk på längden och tvären i olika versioner.

Vi drack, vi åt och vi närmade oss det viktigaste fatet. Då var det bara att hugga in då.

Du först. Nej, var så god!

Aha! Damerna först naturligtvis, vår japanska tolk, flickan! Hon skulle naturligtvis äta först.

Vi grep våra pinnar. Vi tittade på varandra.

Skulle detta bli det sista jag såg i livet? Min långe nordiske vän, halvliggande på andra sidan bordet, blåröd i ansiktet, en nordisk satyr, kamouflerad i kostym och väst, på gränsen mellan hysteriskt fniss och desperat flykt?

Jag svalde. Ingenting hände. BANZAI! Det smakade gott och hade ungefär samma konsistens som gravad lax.

"Ta en tugga till – se döden på dig väntar", sa min nordiske vän.

Vi åt, vi drack, vi ropade banzai, och festen var slut.

Vi återvände till hotellet, lättade och upprymda, men samtidigt förenade i samma sorts brödraskap de återvändande, överlevande kommandosoldaterna känner när de stapplar hem till basen igen och möter rekryterna och civilisterna som ingenting vet om verkligheten.

Denna känsla av samurajens överlägsenhet satt i ända tills man tuppade av – inte precis utmattad av stridens hetta, men ändå.

Nästa dag, då skylten TYSTNAD BAKSMÄLLA PÅGÅR kunde ha satts upp på dörren, kunde man i stilla kontemplation fundera över om inte det "Fria Ordet" ibland kräver väl höga insatser.

30. Nå, när kommer revolutionen?

Nu har ni antagligen kommit fram till samma fråga som de allra flesta svenskar brukar ställa efter den första omtumlande bekantskapen med Japan: När kommer revolutionen? Det kan väl inte fortsätta så här länge till?

Svenskar menar därmed att nu, på 1980-talet, då Japan blivit en av världens ledande ekonomiska stormakter, då levnadsstandarden i Japan är en av de högsta i världen, då det japanska folket är ett av de bäst utbildade på jorden, inte kan de hålla på så där länge till.

Vadå, hålla på? Ja, menar svensken, inte kan de väl få folk att slita så där hårt, vara gifta med företagen, aldrig ta ut semester, bara stå där och buga. Inte kommer ungdomen att finna sig i det där livet – och kvinnorna sen!

På 70-talet, när tårgasen ofta låg tät över Tokyos centrum och ambulanserna åkte i skytteltrafik från de oerhört blodiga demonstrationerna och politiska uppgörelserna, trodde väl många utlänningar att Japans stund var inne.

Men icke. I dag är den institution som då var landets mest radikala och omstridda och stundtals en belägrad bastion, Tokyos universitet, i dag är det en snäll och harmlös fabrik för produktion av artiga och intelligenta unga män och kvinnor som trängs i köerna för att bli anställda av de bästa storföretagen.

Samma korridorer där vänsterns stormtrupper en

gång sprang med sina molotovcocktails, hjälmar och knölpåkar, där bedrivs i dag en betydligt lugnare verksamhet.

Jag bevittnade själv nyligen universitetets arrangemang då årets nya studenter skulle bekanta sig med varandra och med de fritidsaktiviteter som universitetet erbjöd, studenternas egen verksamhet. Ingen kommer in på universitetet som inte är en absolut toppelev, det är Japans intelligentsia som trängs där.

Japans framtidshopp, dessa 18–19-åringar var nästan rörande naiva, där stod små pojkar och flickor vid sina stånd, som på en skolbasar, varje universitetsklubb hade satt upp skyltar och försökte värva medlemmar.

Frimärksklubben, fågelskådarna, esperantoklubben konkurrerade glatt och kvittrande med klubbarna för klassisk musik, miljöklubben osv. Den enda grupp som hade en viss anknytning till politik eller världen utanför Japan var FN-klubben.

Tre klubbar däremot sysslade enbart med hjärteförmedling, dvs. med hjälp av avancerad japansk datateknik kunde pojkar och flickor som sökte en hjärtevän finna en partner.

Det var så rart och trevligt att man nästan föll i gråt.

Sanningen är att den stora massan av Japans ungdom är politiskt fullständigt okunnig, ointresserad och totalt omedveten. Det är inte jag som säger detta, utan flera av lärarna på dagens universitet, som själva en gång stod där i korridorerna med tårgasen stickande i ögonen, svängande revolutionens röda fana. Det är inget krut i dagens ungdom, brukar de säga.

Återstår arbetarna. De måste väl göra revolt, menar vårt ständigt problemsökande svenska lynne. Hur kan de stå ut med att drivas som robotar?

En japansk jobbare är inte mer robot än en svensk. Arbetstakten på fabriker och kontor är inte högre än i Sverige. Det är fabrikernas produktionshallar som är mycket effektivare organiserade i Japan.

Det är bara en tredjedel av arbetsstyrkan som är s.k. livstidsanställda på de mycket stora företagen, där de har total trygghet.

Men "livstiden" upphör vid 54 för en anställd, däremot lever de flesta japaner uppemot 70-årsåldern, så det återstår många aktiva år då han måste försöka hitta något annat arbete. Det finns nämligen inga pensioner av svensk modell.

Alla som inte är fast anställda har det betydligt osäkrare, alltså är de mer angelägna om sina arbeten så länge de har dem: därför är de självklart mer benägna att arbeta längre dagar än vad de skulle behöva.

Det är alltså inte särskilda gener och arvsanlag just hos japanerna som gör dem till så effektiva arbetare, utan enkla ekonomiska och sociala omständigheter.

Mot detta system finns det givetvis en viss opposition. Men den organiserade vänstern är liten och splittrad och har aldrig vunnit någon större seger. En förklaring till detta är att det är mycket svårare i Japan än i något annat land att komma in från oppositionsställning. Den som har makten kan uppträda värdigt, hans löften kan uppfyllas.

Oppositionsmannen står där och gapar och skriker, han stör harmonin, han är aggressiv och negativ och en röst på honom ger inga fördelar för mig.

För varje år har japanska folket fått det allt bättre. Konjunkturerna går upp och ner, men totalt sett har så många japaner aldrig haft det så bra som man har det i dag. Japan vinner nya framgångar på världsmarknaden.

För den enkle japanske väljaren måste ju allt detta bero på det japanska systemets förträfflighet; att de utländska konkurrenterna går i konkurs måste bero på att deras varor är sämre, deras ledning inkompetent, deras regeringar odugliga.

Så länge utvecklingen är denna, så länge det intima samarbetet mellan politiker-näringsliv och byråkratin ger det resultat man nu har, finns det ytterst små möjligheter till att någonting skulle förändras i Japan.

Ingen kraft kommer att omstörta det politiska systemet innanför parlamentets murar och de försök som gjorts utanför murarna har alla varit desperata aktioner från extrema smågrupper utan stöd hos någon inflytelserik grupp.

Det enda som kan hota Japan är en global ekonomisk depression, men den är ett lika stort hot mot oss alla, och frågan är om inte just Japan med sitt hårt sammanhållna system, men ändå ständigt öppet för förändringar och nya vägar för ekonomin och tekniken, skulle klara depressionen bättre än de flesta andra utvecklade länder. Japan skulle sluta sig inåt ännu en gång och i denna situation – Japan mot resten av världen – har Japan alltid överlevt. Inga moderniseringar har lyckats utplåna dessa unika egenskaper och krafter – de finns där bortom hamburgerställena, motorvägarna och skyskraporna.

Douglas Adams	Livet, universum och allting
Douglas Adams	Ajöss och tack för fisken
Douglas Adams	Tedags för dystra själar
Lars Ahlin	De sotarna! De sotarna!
Marianne Ahrne	Katarina Horowitz drömmar
Inger Alfvén	Judiths teater
Inger Alfvén	Dotter till en dotter
Isabel Allende	Eva Luna
Isabel Allende	Eva Lunas berättelser
Dagmar Almquist-O'Connor	Lust med kärlek
Joseph Amiel	Stordåd
Virginia Andrews	Svart ängel
Evelyn Anthony	Dödens aveny
Evelyn Anthony	Det grymma arvet
Jeffrey Archer	Attentat mot Vita Huset
Jean M Auel	Grottbjörnens folk
Jean M Auel	Hästarnas dal
Jean M Auel	Mammutjägarna
Jean M Auel	Stäppvandringen
Sun Axelsson	Drömmen om ett liv
Sun Axelsson	Honungsvargar
Sun Axelsson	Nattens årstid
Julian Barnes	En världshistoria i 10 1/2 kapitel
Sylvia Beach	Shakespeare and Company. Min boklåda i Paris
Frans G Bengtsson	Röde Orm
Carl Bildt	Hallänning Svensk Europé
Michael Blake	Dansar med vargar
Gösta Bohman	Sagan om Gunnel
Jacqueline Briskin	Det nakna hjärtat
Tomas Böhm	Ska du säga!
Tom Clancy	Patrioter
Tom Clancy	Kardinalen i Kreml
Tom Clancy	Jakten på Röd Oktober
Jackie Collins	Hollywoodfruar

Jackie Collins	Lucky
Sigrid Combüchen	Byron
Catherine Cookson	Gycklarens dotter
Jilly Cooper	Rivaler
Bill Cosby	Kärleksliv
Martin Cruz Smith	Polstjärnan
Magnus Dahlström	Fyr+Papperskorg
Anne Delbée	En kvinna
Sven Delblanc	Änkan
Sven Delblanc	Kära farmor
Nelson DeMille	På heder och samvete
E. L. Doctorow	Billy Bathgate
Loup Durand	Daddy
Wayne W. Dyer	Älska dig själv
Johannes Edfelt	Dikter
Gunnar Ekelöf	Dikter
Kerstin Ekman	Rövarna i Skuleskogen
Kerstin Ekman	Knivkastarens kvinna
Knut Faldbakken	Bad Boy
Maj Fant	Att bli mamma till sin mamma
Anne Fine	Giftormen
Carmilla Floyd/Marita Lindqvist	Hårda bud, handbok för 60-talister
Ken Follet	Stormarnas tid
Colin Forbes	Täckmantel
David Forrest	Och till min brorson Albert
Frederick Forsyth	Förhandlaren
Elizabeth George	Till minnet av Edward
Graham Greene	Kaptenen och fienden
Graham Greene	Slutet på historien
Arthur Hailey	Krisen
Thomas Harris	När lammen tystnar
Thomas Harris	Röda draken
Thomas Harris	Svart söndag
Marlen Haushofer	Väggen
Ernest Hemingway	Edens lustgård

Alf Henrikson	Biblisk historia
James Herbert	Ondskans hus
Per Herngren	Handbok i civil olydnad
Jack Higgins	Hämndens väg
Mary Higgins Clark	Gråt ej mer min älskling
Daniel Hjorth	Kakafoni
Bertil Hökby/Gösta Åberg	Uppslagsbok för cyniker
John Irving	En bön för Owen Meany
P.D. James	Böjelser och begär
Boris Jeltsin	Bekännelsen
Søren Buus Jensen	Vad händer när det tänder?
Kjell Johansson	Gogols ansikte
Jarl Jørstad	Sådana är vi
Theordor Kallifatides	En lång dag i Athen
Stephen King	Carrie
Stephen King	Varsel
Ernst Kjellberg/	Grekisk och romersk konst
Gösta Säflund	
Georg Klein	Pietà
Dean R. Koontz	Väktare
Dean R. Koontz	Sekten
Dean R. Koontz	Främlingar
Michael Korda	Familjen
Milan Kundera	Varats olidliga lätthet
Milan Kundera	Skämtet
Christina Laffeaty	Så nära men ändå fjärran
Stig Larsson	Introduktion
John le Carré	Ryska huset
Marti Leimbach	Kärlekens val
Harriet Goldhor Lerner	Kvinnors vrede
Primo Levi	Är detta en människa?
Lennart Lidfors	Gåvan från stjärnorna
Sven-Eric Liedman	Från Platon till Gorbatjov
Herman Lindqvist	Gallfeber
Herman Lindqvist	Rapporter från Mittens Rike
Herman Lindqvist	Caramba! säger dom aldrig

Herman Lindqvist	Japaner Japaner Japaner
Harry Lorayne	Minnesteknik
Robert Ludlum	Identitet Kain
Kristina Lugn	Lugn bara Lung/Hundstunden
Lustans labyrinter	
Eric Van Lustbader	Ninja
Eric Van Lustbader	Miko
Stig Löfstrand/	Herrummet
Christian Ylander	
Betty Mahmoody	Inte utan min dotter
Bodil Malmsten	Dikter 1977 – 1990
Ed McBain	Askungen
Ed McBain	Mästerkatten i stövlar
Ed McBain	Huset som Jack byggde
Cecilia Modig	Ensam förälder är många
Raymond A. Moody	Tidigare-livupplevelser
Gunilla Myrberg	Kropp & Själ
Jan Mårtenson	Mord i Venedig
Jan Mårtenson	Ramses hämnd
Anaïs Nin	Venusdeltat
Anaïs Nin	Henry & June
Christopher Nolan	Under klockans öga
Margot och Carl-Adam Nycop	Vår tredje ålder. Må bra efter 65
Görel Kristina Näslund	Skratta och må bra
Jan Olof Olsson	Någonstans i Sverige
Birgitta von Otter	Personligt meddelande
Ulf Palmenfelt	Osedliga historier
Marge Piercy	Den långa natten
Agneta Pleijel	Vindspejare
Agneta Pleijel	Hundstjärnan
Nancy Price	Sova hos fienden
Barbara Raskin	En kvinna som Sukie
Anne Rice	En vampyrs bekännelse
Niklas Rådström	Månen vet inte
Niklas Rådström	Vänd ditt timglas

Nawal El Saadawi	Och tiden står stilla vid Nilen
James Salter	En lek och ett tidsfördriv
Harry Schein	"Makten"
Roland Schütt	Kådisbellan
Bo Setterlind	Amoroso
Tom Sharpe	Wilt
Tom Sharpe	Bara Blott
Sidney Sheldon	Blodsband
William L. Shirer	Det Tredje rikets uppgång och fall. Första delen
William L. Shirer	Det Tredje rikets uppgång och fall. Andra delen
William L. Shirer	Det Tredje rikets uppgång och fall. Tredje delen
William L. Shirer	Det Tredje rikets uppgång och fall. Fjärde delen
Lisa Sliwa	Försvara dig, kvinna!
Danielle Steel	Hemligheter
Danielle Steel	Förändringar
Mary Stewart	Kärleksdrycken
Peter Straub	Koko
Whitley Strieber	Närkontakt
Margareta Strömstedt	Församlingen under jorden
Olov Svedelid	Vapenhandlarna
Olov Svedelid	Barnarov
Olov Svedelid	Botgörarna
Olov Svedelid	Terrorns finger
Amy Tan	Joy Luck Club
Deborah Tannen	Det var inte så jag menade!
Barbara Taylor Bradford	Endast det bästa . .
Catherine Texier	Famna mig varligt
23 berättelser om katter	
Tomas Tranströmer	Från "17 Dikter" till "För levande och döda"
Anja Tuckermann	Våldtäkt
Scott Turow	Bindande bevis

Nawal El Saadawi	Och tiden står stilla vid Nilen
James Salter	En lek och ett tidsfördriv
Harry Schein	"Makten"
Roland Schütt	Kådisbellan
Bo Setterlind	Amoroso
Tom Sharpe	Wilt
Tom Sharpe	Bara Blott
Sidney Sheldon	Blodsband
William L. Shirer	Det Tredje rikets uppgång och fall. Första delen
William L. Shirer	Det Tredje rikets uppgång och fall. Andra delen
William L. Shirer	Det Tredje rikets uppgång och fall. Tredje delen
William L. Shirer	Det Tredje rikets uppgång och fall. Fjärde delen
Lisa Sliwa	Försvara dig, kvinna!
Danielle Steel	Hemligheter
Danielle Steel	Förändringar
Mary Stewart	Kärleksdrycken
Peter Straub	Koko
Whitley Strieber	Närkontakt
Margareta Strömstedt	Församlingen under jorden
Olov Svedelid	Vapenhandlarna
Olov Svedelid	Barnarov
Olov Svedelid	Botgörarna
Olov Svedelid	Terrorns finger
Amy Tan	Joy Luck Club
Deborah Tannen	Det var inte så jag menade!
Barbara Taylor Bradford	Endast det bästa ..
Catherine Texier	Famna mig varligt
23 berättelser om katter	
Tomas Tranströmer	Från "17 Dikter" till "För levande och döda"
Anja Tuckermann	Våldtäkt
Scott Turow	Bindande bevis

Montague Ullman & Claire Limmer (red)	Drömmen löser problem
Leon Uris	Mitlapasset
Ian Wachtmeister	Elefanterna
Herbjørg Wassmo	Dinas bok
Fay Weldon	Levnadsregler
Fay Weldon	Presidentens son
Fay Weldon	Röksvamp
Fay Weldon	Praxis
Marvin Werlin & Mark Werlin	Ansiktet
Jacques Werup	Dikter
Charles Willeford	Miami Blues
Stephen Vizinczey	Lovsång till den mogna kvinnan
P.G. Wodehouse	Jeeves klarar skivan
P.G. Wodehouse	Psmith ordnar saken
P.G. Wodehouse	Tack, Jeeves!
P.G. Wodehouse	Som det anstår en Wooster
P.G. Wodehouse	Farbror Fred på vårhumör
P.G. Wodehouse	Fullmåne
P.G. Wodehouse	Nära ögat
P.G. Wodehouse	Pengar på banken
P.G. Wodehouse	Ring på Jeeves
Tom Wolfe	Fåfängans fyrverkeri
Stuart Woods	Gräsrötter
Cornelis Vreeswijk	Till Fatumeh
Georg Henrik von Wright	Vetenskapen och förnuftet
Georg Henrik von Wright	Humanismen som livshållning
Danah Zohar	Kvantjaget
Karin Österling	Älskade Verner!